# NRG
## *NEWROCKGENERATION

# AIN'T NO EASY WAY

### Words and Music by Peter Hayes and Robert Been

Tuning: E B E E B E

Tune guitar down 1 semitone

Play with slide (optional)

♩ = 95

**Intro**

**Verse 1**

| E7(♯9) E5 | E7 | E5 | E7(♯9) E5 | E5 E5/G E5 |

It's eas - y to fall in love, when you fall in love you know you're done.

| E7(♯9) E5 | E7 | E5 | E7(♯9) E5 | E5 E5/G E5 |

You got eas - y eyes to hunt, when the world above needs your blood.

| E7(♯9) E5 | E7 | E5 | E7(♯9) E5 | E5 E5/G E5 |

In the cold veins of the richest man, he'll pay your way to steal her hand.

**Chorus 1**

| E7(♯9) E5 | E7 E5 | E7(♯9) E5 | E5 E5/G E5 |

There ain't no easy way, no there ain't no easy way out.

| E7(♯9) E5 | E7 E5 | E7(♯9) E5 | E5 E5/G E5 |

There ain't no easy way, no there ain't no easy way out.

| E7(♯9) E5 | E7 E5 | E7(♯9) E5 | E5 E5/G E5 |

There ain't no easy way, no there ain't no easy way out.

**Instrumental**

A5   E5 A5   E5 A5   G5   E5 G5 F♯5   E5

E5

E7(♯9) E5   E7   E5   E7(♯9) E5 E7   E5   E/G E5

Warner/Chappell North America Ltd, London W6 8BS

| E7(#9) E5 | E7    E5 |         | E7(#9) E5 | E5 E5/G E5 |
|---|---|---|---|---|

**Verse 2**   It's eas - y to fall in love, when you've run your luck you know you're done.

| E7(#9) E5 | E7 E5 |         | E7(#9) E5 | E5 E5/G E5 |
|---|---|---|---|---|

And the last   kiss had a fools cost, now your tired eyes could only  haunt.

**Chorus 2**   As Chorus 1

**Instrumental 1**

A5          E5 A5          E5 A5    G5      E5 G5    F#5      E5

E5

x3

**Chorus 3**   As Chorus 1

**Chorus 4**   As Chorus 1

| E7(#9) E5 | E7    E5 |         | E7(#9) E5 | E5 E5/G E5 |
|---|---|---|---|---|

**Coda**   There ain't   no   easy way, no there ain't no easy way out.

(It's easy to fall in love, when you fall in love you know you're done.)

| E7(#9) E5 | E7    E5 |         | E7(#9) E5 | E5 E5/G E5 |
|---|---|---|---|---|

There ain't   no   easy way, no there ain't no easy way out.

(It's easy to fall in love, when you fall in love you know you're done.)

# BANQUET

**Words and Music by Kele Okereke, Russell Lissack,
Gordon Moakes and Matt Tong**

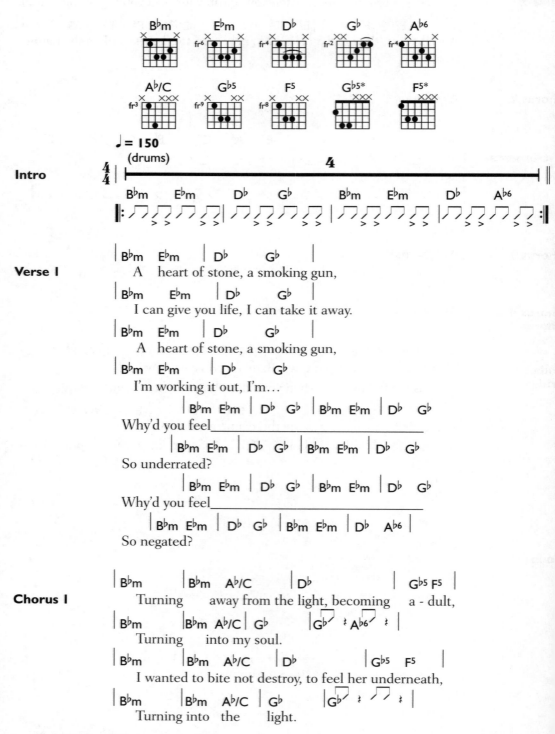

|Bᵇm        Eᵇm  |Dᵇ     Gᵇ  |

**Verse 2**     She don't think straight,

|Bᵇm  Eᵇm  |Dᵇ    Gᵇ  |

        …no no no, she don't

|Bᵇm   Eᵇm |Dᵇ  Gᵇ  |

Think straight.

|Bᵇm  Eᵇm  |Dᵇ   Gᵇ

 

    |Bᵇm     Eᵇm  |Dᵇ    Gᵇ

She's got such a dirty mind and it never ever stops

    |Bᵇm     Eᵇm  |Dᵇ    Gᵇ

And you don't taste like her and you never ever will

    |Bᵇm     Eᵇm  |Dᵇ    Gᵇ

And we don't read the papers, we don't read the news

    |Bᵇm  Eᵇm  |Dᵇ    Gᵇ  |

Heaven's never enough, we will never be fooled.

 

**Chorus 2**     As Chorus 1

 

|G$^{b5}$   |F$^5$  |B$^{b5}$   |B$^{b5}$  |

   And if you feel    a little left behind,

|G$^{b5}$   |F$^5$  |B$^{b5}$   |B$^{b5}$  |

   I will see you on the other side.

|G$^{b5*}$   |F$^{5*}$  |B$^{b5}$   |B$^{b5}$  |

   And if you feel    a little left behind,

|G$^{b5*}$  |F$^{5*}$  |B$^{b5}$   |B$^{b5}$  |

   I will see you on the other side.

 

    |Bᵇm    Eᵇm  |

**Coda**    'Cause I'm on fire,

|Dᵇ    Gᵇ  |Bᵇm Eᵇm   |

  'Cause you know I'm on fire  when you come.

|Dᵇ    Gᵇ  |Bᵇm   Eᵇm  |

  'Cause you know I'm on fire,

|Dᵇ    Gᵇ  |Bᵇm Eᵇm  |Dᵇ Gᵇ

'Cause you know I'm on fire, so stub me out.

    ‖: Bᵇm  Eᵇm  |Dᵇ   Gᵇ  :‖Bᵇm  − ‖

'Cause I'm on fire…        *x4*

# BLACK AND WHITE TOWN

### Words and Music by Jimi Goodwin, Jez Williams and Andy Williams

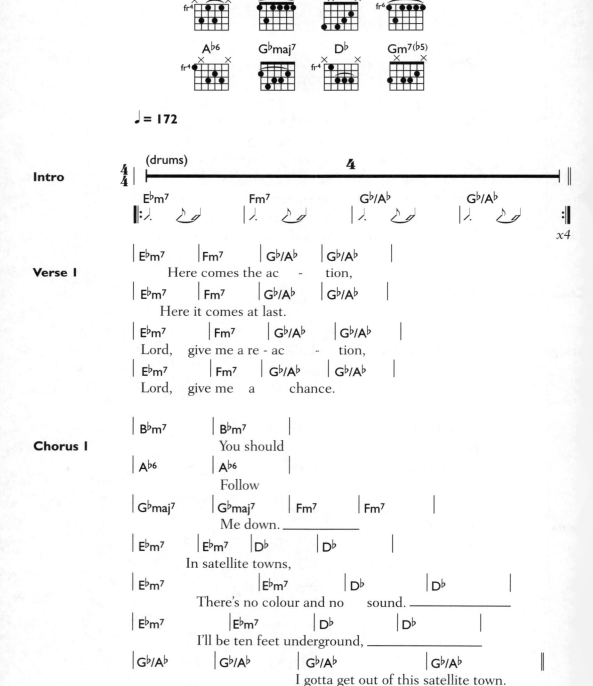

**Link**

| E♭m⁷ | | Fm⁷ | | G♭/A♭ | | G♭/A♭ | |

**Verse 2**

| E♭m⁷ | Fm⁷ | G♭/A♭ | G♭/A♭ | |

Here comes some ac - tion,

| E♭m⁷ | Fm⁷ | G♭/A♭ | G♭/A♭ | |

First time in my life.

| E♭m⁷ | Fm⁷ | G♭/A♭ | G♭/A♭ |

Gotta get out to get compensa - tion,

| E♭m⁷ | Fm⁷ | G♭/A♭ | G♭/A♭ |

Gotta get out to get this to last. _____

**Bridge**

| E♭m⁷ | E♭m⁷ | |

Whether you live alone,

| E♭m⁷ | E♭m⁷ | E♭m⁷ | |

Or you're trying to find your way in this world,

| E♭m⁷ | E♭m⁷ | |

You better make sure that you don't

| E♭m⁷ | E♭m⁷ | |

Crack your head on that pavement man!

| E♭m⁷ | Fm⁷ | |

My God! The shock!

| G♭/A♭ | G♭/A♭ | |

It's been preying on me and mine,

| E♭m⁷ | Fm⁷ | |

This is a dangerous place man,

| G♭/A♭ | G♭/A♭ | ‖

This is a dangerous place, there's nothing here.

**Chorus 2**

| B♭m⁷ | B♭m⁷ | |

You should

| A♭⁶ | A♭⁶ | |

Follow

| G♭maj⁷ | G♭maj⁷ | Fm⁷ | Fm⁷ | |

Your way        down. _____

| E♭m⁷ | E♭m⁷ | D♭ | D♭ | |

In satellite towns,

| E♭m⁷ | E♭m⁷ | D♭ | D♭ | |

There's no colour and no     sound. _____

| E♭m⁷ | E♭m⁷ | D♭ | D♭ | |

I'll be ten feet underground,

| G♭/A♭ | G♭/A♭ | G♭/A♭ | G♭/A♭ | ‖

In a black and white town.

**Guitar solo**

| E♭m⁷     Fm⁷     G♭/A♭     G♭/A♭ |

‖: 𝄽 | 𝄽 | 𝄽 | 𝄽 :‖

*x4*

**Chorus 3**

| B♭m⁷ | B♭m⁷ | |

You should

| A♭⁶ | A♭⁶ | |

Follow

| Gm⁷⁽♭⁵⁾ | Gm⁷⁽♭⁵⁾ | G♭maj⁷ | G♭maj⁷ | |

Me down. _____

| Fm⁷ | Fm⁷ | E♭m⁷ | E♭m⁷ | |

There's no     colour and no sound,

| G♭/A♭ | G♭/A♭ | D♭ | D♭ | |

In a  black and white town, _____

| E♭m⁷ | E♭m⁷ | D♭ | D♭ | |

I'll be ten feet underground, _____

| E♭m⁷ | E♭m⁷ | D♭ | D♭ | ‖

In a  black and white town. _____

**Coda**

| E♭m⁷     Fm⁷     G♭/A♭     G♭/A♭ |

‖: 𝄽 | 𝄽 | 𝄽 | 𝄽 :‖

*x4*

# CIVIL SIN

**Words and Music by Peter Carr, Kevin Chase, Christian Peck and Shahza**

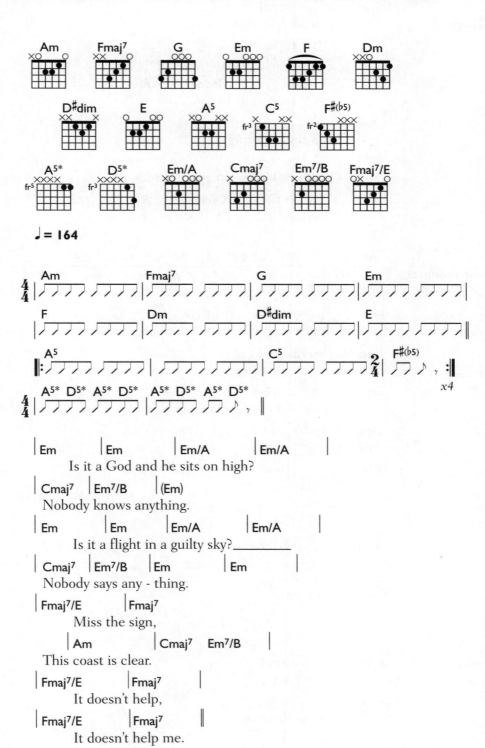

**Intro**

**Verse 1**

Is it a God and he sits on high?

Nobody knows anything.

Is it a flight in a guilty sky?_____

Nobody says any - thing.

Miss the sign,

This coast is clear.

It doesn't help,

It doesn't help me.

**Chorus 1**

| Am          | Fmaj⁷       |
Who am I - only
| G           | Em          |
One more life that you could owe me,
| F         | Dm        |D♯dim      | E           |
It's city lives, it's city lies, it's civil sin.
| Am          | Fmaj⁷       |
Who am I - only
| G           | Em          |
One more life so you can own me,
| F         | Dm        |D♯dim      | E           |
It's city lives, it's city lies, it's civil sin.

**Instrumental**

A⁵* D⁵* A⁵* D⁵*   A⁵* D⁵* A⁵* D⁵*   A⁵* D⁵* A⁵* D⁵*   A⁵* D⁵* A⁵* D⁵*

| ♪♪♪♪ ♪♪♪♪ | ♪♪♪♪ ♪♪♪♪ | ♪♪♪♪ ♪♪♪♪ | ♪♪♪♪ ♪♪ ♪ ₇ ‖

**Verse 2**

|Em          | Em        | Em/A        | Em/A        |
Here sit a crown in the Sunday best,
|Cmaj⁷ | Em⁷/B     |(Em)        |
Nobody knows anything.
|Em          | Em        | Em/A        | Em/A        |
Here see the crowds laid to never rest,
|Cmaj⁷ | Em⁷/B | Em      | Em          |
Nobody says anything.
| Fmaj⁷       | Fmaj⁷     |
Miss the sign,
|Am          | Cmaj⁷  Em⁷/B    |
This coast is clear,
| Fmaj⁷/E     | Fmaj⁷       | Am         |Cmaj⁷  Em⁷/B      |
Until one man buys the whole___ show.
| Fmaj⁷/E     | Fmaj⁷       |
Miss the side,
| Am         |Cmaj⁷  Em⁷/B      |
My mind is clear,
|Fmaj⁷/E      | Fmaj⁷       |
It doesn't help,
|Fmaj⁷/E      | Fmaj⁷       ‖
It doesn't help me.

**Chorus 2**      As Chorus 1

**Instrumental**

$A^5$ | | | $C^5$ | | $\frac{2}{4}$ $F^{\sharp(\flat5)}$ |

$\frac{4}{4}$ Am | | Fmaj$^7$ | | G | | Em |

| F | | Dm | | D$^{\sharp}$dim | | E |

**Chorus 3**      As Chorus 1

**Coda**

$\frac{4}{4}$ $A^5$ | | | $C^5$ | | $\frac{2}{4}$ $F^{\sharp(\flat5)}$ |

# CLUB FOOT

**Words and Music by Sergio Pizzorno and Christopher Karloff**

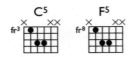

♩ = 102

(synth & atmospheric FX)

**Intro**

$\frac{4}{4}$ | C5 | | | |

| C5 | | F5 | C5 | | F5 |

**Verse I**

| C5 | C5 | F5 |
One, take control of me, you're messing with the enemy

| C5 | C5 | F5 |
Said it's two, it's another trick messing with my mind, I wake up,

| C5 | C5 | F5 |
Chase down an empty street, blindly snap the broken beats,

| C5 | C5 | F5 |
Said it's gone with the dirty trick, it's taken all these days to find ya.

**Chorus I**

| C5 | C5 | F5 |
I,_____ I tell you I want you,

| C5 | C5 | F5 |
I,_____ I tell you I need you.

**Verse 2**

| C5 | C5 | F5 |
Friends take control of me, stalking cross the gallery,

| C5 | C5 | F5 |
All these pills got to operate the colour quilts and all invade us.

| C5 | C5 | F5 |
There it goes again, take me to the edge again,

| C5 | C5 | F5 |
All I got is a dirty trick, I'm chasin' down all walls to save ya.

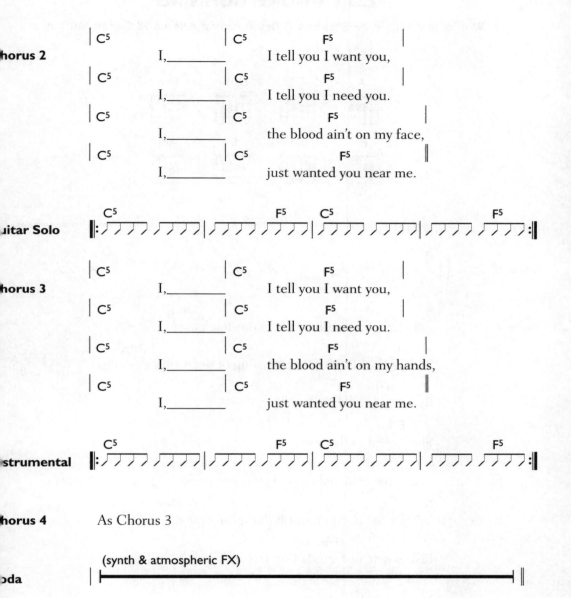

**horus 2**

|C⁵          |C⁵          F⁵          |
    I,_____          I tell you I want you,

|C⁵          |C⁵          F⁵          |
    I,_____          I tell you I need you.

|C⁵          |C⁵          F⁵          |
    I,_____          the blood ain't on my face,

|C⁵          |C⁵          F⁵          ‖
    I,_____          just wanted you near me.

**uitar Solo**

**horus 3**

|C⁵          |C⁵          F⁵          |
    I,_____          I tell you I want you,

|C⁵          |C⁵          F⁵          |
    I,_____          I tell you I need you.

|C⁵          |C⁵          F⁵          |
    I,_____          the blood ain't on my hands,

|C⁵          |C⁵          F⁵          ‖
    I,_____          just wanted you near me.

**strumental**

**horus 4**          As Chorus 3

(synth & atmospheric FX)

**oda**

# DON'T COME RUNNING

**Words and Music by Stephen O'Brien, David Allen and Conor Mullan**

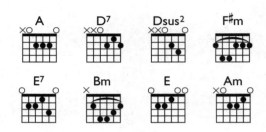

♩ = 116

**Intro**

$\frac{4}{4}$ | A  ♪♪ ♪♪♪ ♪ | D⁷ ♪♪ ♪♪♪ ♪ | A ♪♪ ♪♪♪ ♪ | D⁷ ♪♪ ♪♪♪ ♪

**Verse 1**

| A                                              | Dsus²
From a humble home on a dirt track road,
| A                                              | Dsus²
She lived with the cold and damp of the winter evenings
| F#m
By her side as she cried,
| E⁷                              |
She looked to the fire.
| A                                              | Dsus²              |
But the cold and damp in the winter evenings got much worse,
| A                                              | Dsus²
That she had to wait till the springtime came
| F#m
Just to take her mind off of things,
| E⁷
She looked to the sky
| Bm                                       |
But she's looking out for something,
| E⁷                              ‖
Getting all but nothing.

**Chorus I**

```
 |A            |A            |Bm
But do your best  try     -     ing,
                       |E
You got problems, go ahead and deal with them,
    |A                |A            |Bm
But don't come running, cry    -    ing,
              |E
You need sunshine coming through that window.
      |A                    |A              |
And open up your curtains, let it blind   you,
 |Bm                  |E                        |
    And you'll get that rubbish, that rubbish off your mind.
 |A                    |A                       ‖
(The times they passed and then you found out…)
```

**Verse 2**

```
      |A                              |Dsus²         |
         It was good to change and get up and go anywhere,
      |A                              |Dsus²         |
But there was a better place so she left it all behind.
   |F♯m              |E⁷              |
She just couldn't wait, she let her wheels roll,
 |A                    |Dsus²           |
      To a city street and a little room without a view.
 |A                    |Dsus²           |
      And five years on still nothing changed, but they're not
   |F♯m              |E⁷              |
Prepared to look up, but it wasn't enough 'cause
      |Bm                 |
She's looking out for something,
 |E⁷                       ‖
Getting all but nothing.
```

**Chorus 2**    As Chorus 1

**Drum Break**    |N.C.          |N.C.              |

                        |A          |A          |Bm

**Chorus 3**    But do your best   try        -        ing,

                        |E

You got problems, go ahead and deal with them,

              |A          |A          |Bm

But don't come running, cry        -        ing,

                       |E

You need sunshine coming through that window.

            |A          |A          |Bm

And open up your curtains, let it blind  you,

                     |E

You got problems, go ahead and deal with them,

           |A          |A          |Bm

But don't come running, cry        -        ing,

                   |E                    |(Am)

And you'll get that rubbish, that rubbish off your mind.

**Coda**    Am            $D^7$            Am            $D^7$

‖: ╱╱╱╱ ╱╱╱╱ |╱╱╱╱ ╱╱╱╱ |╱╱╱╱ ╱╱╱╱ |╱╱╱╱ ╱╱╱╱ :‖

*fade*

# FOREVER LOST

### Words and Music by Romeo Stodart

**Intro**

$\rightarrow$ = 148

Eoct    Eoct    Eoct    Eoct

$\frac{4}{4}$

**Verse 1**

| E5 | | E5 | | Emaj7 | | |
Darling,    what you gonna do now,
| Emaj7 | | E5 | | E5 | | Emaj7 | | Emaj7 | | |
Now that you noticed    it all went wrong?
| E5 | | E5 | | Emaj7 | | |
I've been,    I've been thinking
| Emaj7 | | E6 | | E6 | | Emaj7 | | Emaj7 | | |
That you don't know me    anymore.

**Chorus 1**

| A | | B | | G#m | | C#m | | |
Don't let the sun be the one    to change you baby,
| A | | B | | G#m | | C#m | |
I wanna    learn how to lie    if I'm to know
| A | | B | | G#m | C#m | |
Cos I wanna    go where the people go,
| F#m | | F#m | | B* | | B* | | |
Cos I'm    forever lost.

**Verse 2**

| E5 | | E5 | | Emaj7 | | |
Darling,    what you gonna say now,
| Emaj7 | | E5 | | E5 | | Emaj7 | | |
Now that you noticed    it all went    wrong?
| Emaj7 | | E5 | | E5 | | Emaj7 | | |
Looks like I'm driving    my friends all crazy,
| Emaj7 | | E6 | | E6 | | Emaj7 | | Emaj7 | | |
Oh, they say that they don't know me    anymore.

**Chorus 2**

| A       | B      | G#m    | C#m          |

Don't let the sun be the one to     change you baby,

| A       | B      | G#m    | C#m |

I wanna learn how to lie         if I'm to know

|   A      | B       | G#m    | C#m |

Cos I wanna go where the people go,

| F#m     | F#m    | B*      | B* |

Cos I'm      forever lost,

| F#m     | F#m    | B*      | B*        |

Oh yeah, I'm      forever lost.

**Bridge**

E              E             C#m⁹           C#m⁹

Eadd9/G#     Eadd9/G#     Badd11     Badd11

| E        | E      | C#m⁹     |

Looks like it all went wrong,

| C#m⁹       | Eadd9/G#    | Eadd9/G#     | Badd11    | Badd11     |

What am I to do?          What am I to do?_____

| E        | E      | C#m⁹     |

Looks like it all went wrong,

| C#m⁹       | Eadd9/G#    | Eadd9/G#     | Badd11    | Badd11     |

What am I to do?          What am I to do?_____

| E        | E      | C#m⁹     |

Looks like it all went wrong,

| C#m⁹       | Eadd9/G#    | Eadd9/G#     | Badd11    | Badd11     |

What am I to do?          What am I to do? _____

| E        | E      | C#m⁹    | C#m⁹     |

Looks like it all went wrong.

G#m           G#m                Aadd9

**Chorus 3**

N.C.
Don't let the sun be the one, to change you baby,
| A  | B   | G#m  | C#m
I wanna learn how to lie   if I'm to know,
 | A  | B   | G#m | C#m
Cos I wanna go where the people go,
 | F#m | F#m  | B*  | B*
Cos I'm  forever lost,
  | F#m | F#m  | B*  | B*  ‖
Oh yeah, I'm  forever lost.


| E⁵  | E⁵    | Emaj⁷  |

**Coda**   Darling, what you gonna do now,
| Emaj⁷   | E⁵  | E⁵  | Emaj⁷ | Emaj⁷  |
  Now that you noticed it all went wrong?
| Emaj⁷   | E⁵  | E⁵   |
 Oh now that you noticed…
| E⁵    | E⁵    |
  (What you gonna do now?)
| E⁵    | E⁵    |
 Oh now that you noticed…


E⁵
| 𝄇

# FORGET MYSELF

**Words by Guy Garvey**
**Music by Elbow**

Chord diagrams: A7* (fr5), A6 (fr4), A5, A7, D, A7/E, C

♩ = 98

**Intro**

$\frac{4}{4}$ | A7* | A7* | A6 | A6 |
| A5 | A5 | A6 | A6 |

**Verse I**

     | A7*          | A7*
They're pacing Piccadilly in packs again,
  | A6          | A6
And moaning for the mercy of a never come rain.
  | A5          | A5
The sun's had enough and the simmering sky
   | A6          | A6
Has the heave and the hue of a woman on fire.
    | A7          | A7
Shop shutters rattle down and I'm cutting the crowd,
  | D          | D
All scented and descending from the satellite towns,
   | A7          | A7
The neon is graffiti singing make a new start
   | D          | D
So I look for a plot where I can bury my broken heart.

**Chorus I**

| A7    | A7      | D       |
No,_____ I know I won't forget you,
| D          | A7      |
   But I'll forget myself,
| A7          | D      | D       |
   If the city will forgive me.

**Verse 2**

|A⁷                              |A⁷
The man on the door has a head like Mars,

|D                    |D
Like a baby born to the doors of the bars,

|A⁷                          |A⁷
And surrounded by steam with his folded arms,

|D                    |D
He's got that urban genie thing going on.

|A⁷                        |A⁷
He's so mercifully free of the pressures of grace,

|D                    |D
Saint Peter in satin he's like Buddha with mace.

|A⁷                        |A⁷
He's so mercifully free of the pressures of grace,

|D                            |D                 ‖
Saint Peter in satin he's like Buddha with mace.


**Chorus 2**      As Chorus 1


**Chorus 3**      As Chorus 1

**Bridge**

    |A⁷/E                              |A⁷/E               |

Do you move through the room with a glass in your hand,

|C                   |D

Thinking too hard about the way you stand?

   |A⁷/E                  |A⁷/E

Are you watching them pair off and drinking them long?

     |C          |D

Are you falling in love every second song?

   |A⁷/E                    |A⁷/E          |

Do you move through the room with a glass in your hand,

|D                   |D

Thinking too hard about the way you stand?

   |A⁷/E                  |A⁷/E

Are you watching them pair off and drinking them long?

     |C

Are you falling in love,

     |C

Are you falling in love,

     |C          D               |

Are you falling in love every second song?

**Instrumental**

A⁷ |/ / / / / / / /|/ / / / / / / /|D / / / / / / / /|/ / / / / / / /|

A⁷ |/ / / / / / / /|/ / / / / / / /|D / / / / / / / /|/ / / / / / / /‖

**Chorus 4**      As Chorus 1

**Chorus 5**      As Chorus 1

**Outro**

A⁷ ‖:/ / / / / / / /|/ / / / / / / /|D / / / / / / / /|/ / / / / / / /:‖

*Repeat ad lib. to fade*

# FURTHER

### Words and Music by Robert McVey

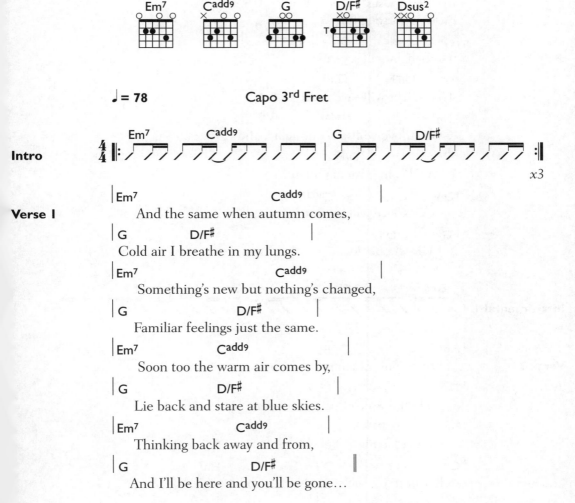

♩ = 78                    Capo 3rd Fret

**Intro**

*x3*

**Verse I**

|Em⁷                    Cadd9          |
And the same when autumn comes,
|G        D/F♯              |
Cold air I breathe in my lungs.
|Em⁷                    Cadd9          |
Something's new but nothing's changed,
|G        D/F♯              |
Familiar feelings just the same.
|Em⁷          Cadd9          |
Soon too the warm air comes by,
|G        D/F♯              |
Lie back and stare at blue skies.
|Em⁷          Cadd9          |
Thinking back away and from,
|G              D/F♯              ‖
And I'll be here and you'll be gone…

**Chorus I**

|Cadd9   Dsus²|Em⁷     D/F♯   |
Further, further, further, further,

|Cadd9   Dsus²    |Em⁷     Cadd9    |
Further, further, from       me.

|G     D/F♯    |Em⁷    Cadd9    |
(God's light will save us)

|G     D/F♯    |(Em⁷)
(God's light will save us...)

|Em⁷          Cadd9              |
   God's love will save our lights, and

|G              D/F♯              |
   We'll come shining bright,

|Em⁷              Cadd9           |
   God's love will save our sun, and

|G       D/F♯             |
   Thy will be done.

**Instrumental I**

Em⁷          Cadd9          G          D/F♯

|Em⁷              Cadd9        |
**Verse 2**     I think now of summer's high,

|G                    D/F♯          |
   And reminisce of past times gone by.

|Em⁷      Cadd9          |
   Only remembered now in

|G                 D/F♯      |Em⁷
   Earth, trees, the stars that have been there.

   Cadd9          |
And there forever held,

|G          D/F♯             |
   Kept safe from memories never told

|Em⁷              Cadd9       |
   But I felt if you went by,

|G          D/F♯          ‖
   In never-changing sky.

**Bridge**

| Cadd9 | Dsus2 | Em7 | |
And we'll   be     gone,
| Cadd9 | Dsus2 | Em7 | ‖
We'll be gone.

**Chorus 2**      As Chorus 1

**Instrumental 2**

Em7        Cadd9          G       D/F#

‖: / 𝄒 / 𝄒 / 𝄒 / 𝄒 | / 𝄒 / 𝄒 / 𝄒 / 𝄒 :‖
                                                          *x3*

**Chorus 3**

| Em7    Cadd9 | G    D/F# | Em7    Cadd9 |
                  (God's light will save us)
| G    D/F# | (Em7)
  (God's light will save us...)
| Em7        Cadd9 |
   God's love will save our lights, and
| G        D/F# |
    We'll come shining bright,
| Em7        Cadd9 |
   God's love will save our sun, and
| G   D/F# |
   Thy will be done.
| Em7        Cadd9 |
 God's love will save our lights, and
| G        D/F# |
   We'll come shining bright,
| Em7        Cadd9 |
   God's love will save our sun, and
| G   D/F# |
   Thy will be done.

   Em7
| ∥ | ‖

# FUCK FOREVER

### Words and Music by Peter Doherty and Patrick Walden

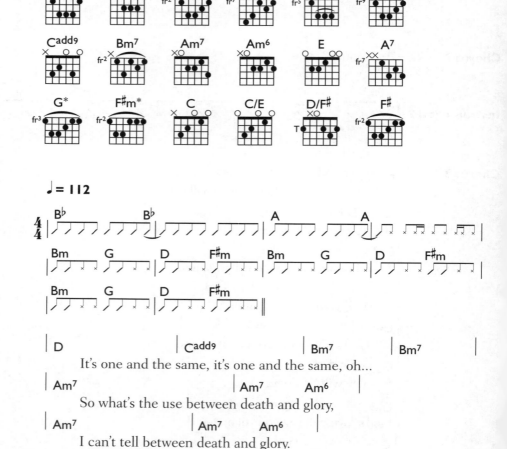

**Intro**

$\frac{4}{4}$

B♭     B♭     A     A

Bm   G   D   F♯m    Bm   G   D   F♯m

Bm   G   D   F♯m

**Verse 1**

| D | Cadd9 | Bm7 | Bm7 |

It's one and the same, it's one and the same, oh...

| Am7 | Am7   Am6 |

So what's the use between death and glory,

| Am7 | Am7   Am6 |

I can't tell between death and glory.

| E | E |

Happy endings, no they never bore me,

| E | E |

Happy endings,   they still don't bore me.

| A7 | A7 |

But they, they have a way,

| A7 | A7 |

A way to make you pay,

| A7 | A7 | (Bm) |

And   to   make you toe the line.

**Chorus 1**    | Bm    G* |

| D    F#m* | Bm    G* |
No I severed my ties,
| D         F#m* | Bm    G* |
Because I'm so clever.
| D         F#m* | Bm    G* |
But clever ain't wise.
| D     N.C. | Bm    G* |
And fuck forever,
| D    F#m* | Bm    G* |
If you don't mind.
| D    F#m* | Bm    G* |
Oh fuck forever,
| D    F#m* | Bm         G* | D         F#m* ‖
If you don't mind, don't mind, I don't mind, I don't mind.

| A⁷                          | A⁷            |
**Verse 2**         Oh what's the use between death and glory?
| A⁷                 | A⁷            |
I can't tell between death and glory.
| E              | E          |
New Labour,     and Tory,
| E              | E          |
Purgatory and,    happy families.
| D              | C    | Bm⁷ | Bm⁷        |
They're one and the same, one and the same.
| D         | C/E           | D/F#   | Bm⁷        |
No it's not the same, it's not supposed to be the same.
| A⁷              | A⁷         |
You know about that way,
| A⁷              | A⁷        |
The way they make you pay,
| A⁷         | A⁷      | (Bm) |
And the way they make you toe the line.

**Chorus 2**

| Bm   G* |

| D    F#m* | Bm   G* |
I severed my ties,

| D    F#m* | Bm   G* |
Oh I'm so clever.

   | D    F#m* | Bm   G* |
So clever but you're not very nice.

| D  N.C.  | Bm   G* |
So fuck forever,

| D    F#m* | Bm   G* |
If you don't mind.

| D    F#m* | Bm   G* |
I'm stuck forever,

| D    F#m* | Bm   G* | D    F#m* ‖
In your mind, your mind, your mind.

**Instrumental**

‖: Bm  G | D  F#m | Bm  G | D  F#m :‖

**Verse 3**

| A7              | A7
But have you heard about that way,

 | A7             | A7       |
To make you feel anxious and make you pay?

| A7  | A7  | A7  | A7  | A7      | (Bm)
And_____ to make you toe the line, line.

**Chorus 3**  | Bm    G* |

| D    F#m* | Bm    G* |
I severed my ties.
| D         F#m* | Bm    G* |
Oh well I'll never,
| D         F#m* | Bm    G* |
Sever the ties.
| D   N.C.    | Bm    G* |
And fuck forever,
| D   F#m*    | Bm    G* |
If you don't mind.
| D         F#m* | Bm    G* |
See I'm stuck forever,
| D   F#m*    | Bm        G*    | D        F#m* ‖
I'm stuck in your mind, your mind, your mind, your mind.

| F#              | F#           |
**Coda**  They'll never play this on the radio.
| F#              | F#           |
They'll never play this on the radio.

F#              F#              F#              F#
| ♩  ♩  ♩  ♩ | ♩  ♩  ♩  ♩ | ♩  ♩  ♩  ♩ | ♩  ♩  - ‖

Bm        G        D        F#m     Bm        G        D        F#m
‖: ♩  x  ♩  x | ♩  x  ♩  x | ♩  x  ♩  x | ♩  x  ♩  x :‖

Bm
| ∥ |  ‖

# GOT LOVE TO KILL

**Words and Music by Paul Ill, Juliette Lewis, Todd Morse,
Patty Schemel and Clint Walsh**

D5  F5  C5  G5  Bb5  F  G  Bb

$\quad$ ♩ = 141

**Intro**

$\frac{4}{4}$

D5 F5 C5 G5

D5 F5 C5 G5

**Verse 1**

| D5 |

Woman,

| F5 | C5 | G5 |

$\quad$ Skip in and walk like you own the place, baby.

| D5 |

Move on,

| F5 | C5 | G5 |

$\quad$ You gotta get your groove and take it all.

| D5 | F5 | C5 |

$\quad$ Didn't you want to change the world

| G5 |

Like a child in flight?

| D5 | F5 | C5 |

$\quad$ But then you turn and walk away

| G5 | (Bb5) |

Say goodbye to another day.

**Chorus 1**

| Bb5 | Bb5 | C5 |

$\quad$ Ay, ay, $\quad$ oh, oh,

| C5 | Bb5 |

Ay, ay, oh, oh, oh.

| Bb5 | C5 | C5 |

Ay, ay, oh, oh, oh, oh, ah…

**Verse 2**

|D⁵         |

Strong man

|F⁵       |C⁵       |G⁵   |

   You're trying to raise your fists with nothing to fight.

|D⁵       |

Slow down,

|F⁵    |C⁵    |G⁵    |

   Ain't no enemy but yourself, lover.

|D⁵   |F⁵    |C⁵   |

   Didn't you want to change the world

|G⁵      |

Like a child in flight?

|D⁵   |F⁵    |C⁵   |

   But then you turn and walk away

      |G⁵   |(B♭⁵)

Say goodbye to another day.

**Chorus 2**    As Chorus 1

**Bridge**

|F      |F      |

   What's it gonna be?

|G      |G      |

   What's it gonna be, do you want me?

|F      |F      |

   What's it gonna be?

|G      |G      |

   What's it gonna be, do you want me?

|B♭   |B♭   |D⁵   |D⁵   ‖

   Is that even a question in your mind?

**Guitar Solo**

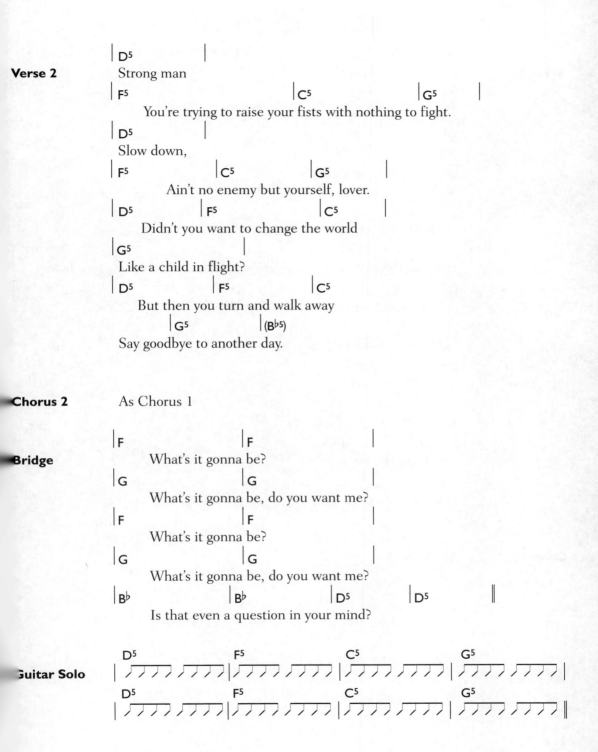

| D⁵              | F⁵              |                 |

**Verse 3**   Oooh,        oooh,

| C⁵              | G⁵              |                 |

Oooh,        yeah,

| D⁵              | F⁵              |                 |

Yeah,        ohhh,

| C⁵              | G⁵              |

Yeah…

          | D⁵              | F⁵

So don't fuck me discontent

              | C⁵                  | G⁵                              |

Like your love is spent, when I'm lying alone, baby, where's your home?

| D⁵                    | F⁵          | C⁵

    You're looking for me, it's all for free,

          | G⁵                  |

I got love to kill for my man of steel.

| D⁵              | F⁵

    Burning cold,

        | C⁵              | G⁵

Telling me no, you're burning cold.

      | D⁵              | F⁵

And I can't let you go, no,

        | C⁵          | G⁵          |

I can't let you go.


**Chorus 3**        As Chorus 1

|F               |F            |

**Coda**

Now what's it gonna be?

|G               |G            |

What's it gonna be, do you want me?

|F               |F            |

What's it gonna be?

|G               |G            |

What's it gonna be, do you want me?

|F               |F            |

What's it gonna be baby?

|G               |G            |

What's it gonna be, do you want me?

|F               |F            |

What's it gonna be?

|G               |G            |

What's it gonna be, do you want me?

|B♭          |B♭      |D5    |D5        |

Is that even a question in your mind?

|D5         |D5      |D5   ‖

Is that even a question in your mind?

# HOUNDS OF LOVE

### Words and Music by Kate Bush

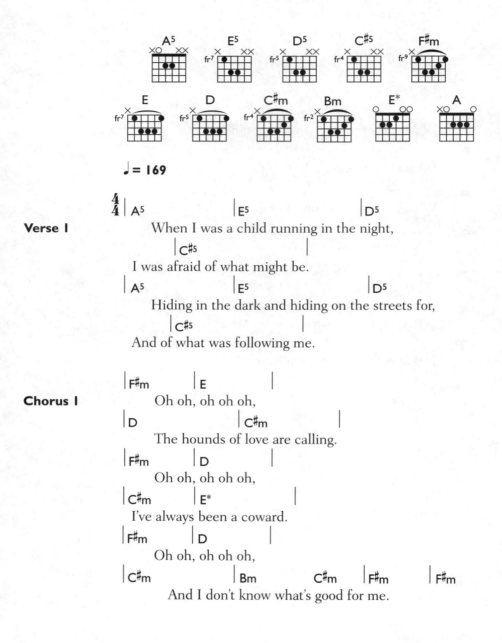

♩ = 169

$\frac{4}{4}$ | A⁵         | E⁵          | D⁵

**Verse 1**
When I was a child running in the night,
| C#⁵         |
I was afraid of what might be.
| A⁵         | E⁵          | D⁵
Hiding in the dark and hiding on the streets for,
| C#⁵         |
And of what was following me.

**Chorus 1**
| F#m      | E          |
Oh oh, oh oh oh,
| D           | C#m          |
The hounds of love are calling.
| F#m      | D       |
Oh oh, oh oh oh,
| C#m      | E*        |
I've always been a coward.
| F#m      | D       |
Oh oh, oh oh oh,
| C#m           | Bm        C#m    | F#m       | F#m
And I don't know what's good for me.

```
                      |A⁵              |
Verse 2       Well here I go,
         |E⁵           |D⁵                    |C#⁵        |
                It's coming at me through the tree,
   |A⁵              |E⁵          |D⁵        |C#⁵      |
                Help me someone, help me please.
   |A⁵              |E⁵          |D⁵                      |
                Take your shoes off and I will throw them in the lake,
   |C#⁵             |A⁵      |E⁵          |D⁵        |C#⁵          |
                And I will be        two steps on the water.
   |A⁵              |E⁵       |D⁵
                I found a fox caught by dogs,
                  |C#⁵                 |
                He let me take him in my hands.
   |A⁵              |E⁵          |D⁵          |C#⁵                   |
                His little heart, it beat so fast that I am ashamed to be running away
   |A⁵              |E⁵          |D⁵            |
                From nothing real, I just can't deal with this,
   |C#⁵          |(F#m)
                I feel ashamed to be there.


   |F#m          |E          |
Chorus 2      Oh oh, oh oh oh,
   |D                   |C#m             |
                Amongst your hounds of loving,
   |F#m        |D          |
                Oh oh, oh oh oh,
   |C#m             |E*            |(F#m)
                I feel your arms surrounding me,
   |F#m        |D          |
                Oh oh, oh oh oh,
   |C#m           |E*            |
                I've always been a coward,
   |F#m        |D          |
                Oh oh, oh oh oh,
   |C#m              |Bm        C#m    |F#m       |F#m
                And I don't know what's good for me.
```

**Verse 3**

| A     |

Well here I go,

| E    |D  |C#m  |

  Don't let me go,   hold me down,

| A    | E      |D  | C#m  |

  It's coming at me through the tree.

| A   |E    |D   | C#m  |

  Help me someone, help me please,

| A   |E   |D     |

  Take my shoes off and I will throw them in the lake.

| C#m   | A  |E   |D | C#m |

  And I will be    two steps on the water.

| A     |E      |D

  And do you know what I need, do you know what I need?

 | C#m     |

I need a hi-ya-yuh-yuh-yuh-yuh-yuh.

| A   |E    |D     |

  And take my shoes off and I will throw them in the lake,

| C#m  | A  |E   |D⁵ | C#m  |

  And I will be    two steps on the water.

| A     |E

  I don't know what's good for me,

     |D   | C#m  |

I don't know what's good for me.

| A     |E      |D  |

  Do you know what I need, do you know what I need?

 | C#m    | A  ||

I need a hi-ya-yuh-yuh-yuh-yuh-yuh.

# I BET YOU LOOK GOOD ON THE DANCEFLOOR

## Words and Music by Alexander Turner

**Verse I**

Stop making the eyes at me, I'll stop making the eyes at you.

And what it is that surprises me, is that I don't really want you to.

And your shoulders are frozen (cold as the night),

Oh but you're an explosion (you're dynamite).

Your name isn't Rio, but I don't care for sand,

And lighting the fuse might result in a bang, b-b-bang-go!

**Chorus I**

| F#5 | | F#5 | | A5 |

I bet that you look good on the dancefloor,

| A5 | | E5* |

I don't know if you're looking for romance or...

| E5* | | F#5* | | F#5* | |

I don't know what you're looking for.

| F#5 | | F#5 | | A5 | |

I said I bet that you look good on the dancefloor,

| A5 | | E5* | | E5* | | C#5 |

Dancing to electro-pop like a robot from Nineteen Eighty-Four,

| C#5 | ‖

Well from Nineteen Eighty-Four!

**Guitar Solo**

C#5 B5 A5 F#5 C#5 B5 A5 F#5

**Verse 2**

| C#5 B5 | A5 F#5 | C#5 B5 | A5 F#5 |

I wish you'd stop ignoring me, because you're sending me to despair

| C#5 B5 | A5 F#5 | C#5 B5 |

Without a sound yeah you're calling me, and I don't think it's very fair

| A5 F#5 | C#5 B5 | |

That your shoulders are frozen (cold as the night),

| A5 F#5 | C#5 B5 | |

Oh but you're an explosion (you're dynamite).

| A5 F#5 | C#5 B5 | A5 |

Your name isn't Rio, but I don't care for sand,

F#5 | C#5 B5 | A5 E5 | ‖

And lighting the fuse might result in a bang, b-b-bang-go!

**Chorus 2**　　　As Chorus 1

**Bridge**

| A⁵　　　　　| A⁵　　　　　|　　　　　|

Oh there ain't no love no,

| E⁵*　　　　| E⁵*　　　| F#⁵*　　　| F#⁵*　　|

No Montagues or Capulets.

| F#⁵*　　　| F#⁵*　　|

Just banging tunes 'n' DJ sets 'n'

| A⁵　　| A⁵　　　|

Dirty dancefloors

| E⁵*　　| E⁵*　　‖

And dreams of naughtyness!

**Instrumental**

F#⁵　　　　E⁵ F#⁵　　　　E⁵ F#⁵　　　　E⁵ F#⁵　　　E⁵

‖: ♩ 𝄾 𝄾 ♪ | ♪ 𝄾 𝄾 ♪ | ♪ 𝄾 𝄾 ♪ | ♪ 𝄾 𝄾 ♪ :‖

*x4*

**Chorus 3**

| F#⁵　　| F#⁵　　　| A⁵　　|

Well I bet that you look good on the dancefloor,

| A⁵　　　| E⁵*　　|

I don't know if you're looking for romance or...

| E⁵*　　　| F#⁵*　　　| F#⁵*　　　|

I don't know what you're looking for.

| F#⁵　　| F#⁵　　| A⁵　　　|

I said I bet that you look good on the dancefloor,

| A⁵　　　| E⁵*　　| E⁵*　　| C#⁵|

Dancing to electro-pop like a robot from Nineteen Eighty-Four,

| C#⁵　　| F#⁵　　‖

Well from Nineteen Eighty-Four!

# LOVE ME LIKE YOU

## Words and Music by Romeo Stodart

*Chord diagrams: B (fr7), C#m (fr4), F# (fr2), Emaj7 (fr4), D#m7 (fr6), G#m (fr4)*

♩ = 152

**Intro**

$\frac{4}{4}$ | B | ... | ... | ... | ... |
| ... | ... | ... | ... |

**Verse 1**

| B | B | |
Don't let

| B | B | C#m | C#m | |
    Your white dress wear you out,

| C#m | C#m | F# | F# | |
    Oh it hurts to look in your eyes,

| F# | F# | B | B | |
    Oh cos honey I can see him.

| B | B | |
    All my life

| B | B | C#m | C#m | |
    I'd hurt the ones I'd loved,

| C#m | C#m | F# | F# | |
    Oh but baby you can turn it round.

| F# | F# | F# | F# | F# | F# |

| Emaj⁷ |

**Chorus 1**  She don't love me like you,

| Emaj⁷           | Emaj⁷           |

She don't know what you do,

| Emaj⁷        | F♯        | F♯        | F♯        |

And it's so     hard.

| F♯              | Emaj⁷           |

She don't care what you say,

| Emaj⁷           | Emaj⁷           |

So just say it, say it anyway,

| Emaj⁷        | F♯        | F♯        | F♯        | F♯        |

It's so     hard.

**Link**

| B 𝄜𝄞 𝄞𝄞𝄞 𝄞𝄞𝄞 | 𝄞𝄞𝄞 𝄞𝄞 x x ‖

| B              | B              |

**Verse 2**  All my life,

| B           | B           | C♯m           | C♯m        |

Oh they tried to push me down

| C♯m        | C♯m        | F♯           | F♯        |

Oh but baby you can turn it round,

| F♯          | F♯          | B           | B        |

Oh but honey I still see him.

| B           | B           |

Don't let your     friends tell you why,

| B           | B           | C♯m           | C♯m        |

Cos I'm a bad, bad, bad... I'm the one,

| C♯m        | C♯m        | F♯           | F♯        |

Oh but baby you can turn it on.

| F♯        | F♯        | F♯        | F♯        | F♯        | F♯        | ‖

**Chorus 2**        As Chorus 1

|B      |D#m⁷    |G#m      |

**Bridge**   All those years gone by,
|G#m          |E          |
  I only wanna find a way
|E          |C#m        |C#m        |
    To make it hard for you.
|B      |D#m⁷    |G#m      |
All those years gone by,
|G#m          |E          |E        |C#m        |C#m
  I only wanna find a way                    to make it hard for you.
  |B          |D#m⁷
You'll never forget it, the way that she let...
    |G#m          |
She don't feel the same,
|G#m          |E          |E          |C#m        |C#m
  I only wanna find a way                    to make it hard for you.
  |B          |D#m⁷
You'll never forget it, the way that she let...
    |G#m          |
She don't feel the same,
|G#m          |E          |E          |C#m        |C#m
  I only wanna find a way                    to make it hard for you.
    |B          |D#m⁷
Oh she'll never forget it the way that she let,
    |G#m          |
She don't feel no pain, no,
|G#m          |E          |E          |C#m        |C#m
  I only wanna find a way                    to make it up to you.
    |B          |D#m⁷
She'll never forget it, the way that she let,
    |G#m          |
She don't feel the same, no,
|G#m          |E          |E          |E          |
  I only wanna find a way,
|E          |Emaj⁷      |Emaj⁷      |Emaj⁷      |
  I only wanna   find...
|Emaj⁷      |Emaj⁷      |Emaj⁷      |Emaj⁷      |Emaj⁷
  I only wanna find...

**Coda**

|E                  |

She don't love me like you,

|E        |C♯m       |

    She don't love me like you,

|C♯m      |E        |

      She don't love me like you,

|E        |C♯m   |

    She don't love me like you,

|E     |E     |F♯   |F♯

She don't love…

|E     |E     |E     |E     |

Oh she don't…

**B**

# MUNICH

**Words and Music by Thomas Smith, Christopher Urbanowicz,
Russell Leetch and Edward Lay**

**Verse 2**

|Cm⁹ |Gm⁷             |B♭  |Gm⁷
It breaks when you don't force it,
   |Cm⁹ |Gm⁷          |B♭   |Gm⁷
It breaks when you don't try.
   |Cm⁹ |Gm⁷         |B♭  |Gm⁷
It breaks if    you don't force it,
   |Cm⁹ |Gm⁷        |B♭  |Gm⁷  ‖
It breaks if    you don't try.

**Chorus 2**      As Chorus 1

**Verse 3**

     |Cm⁹* | Cm⁹*  | Cm⁹* |Cm⁹*
With one    hand you calm  me,
     |Cm⁹* | Cm⁹*  | Cm⁹*  | Cm⁹*
With one     hand I'm still.
    |E♭maj⁷ |Cm⁹*  | E♭maj⁷ |E♭maj⁷
With one — hand you calm  me,
    |E♭maj⁷ | Cm⁹*  | E♭maj⁷ | E♭maj⁷|
With one — hand I'm still.

**Chorus 3**      As Chorus 1

**Guitar Solo 2**

   Cm⁹          E♭maj⁷        Gm⁷        B♭
‖: / / / / / / / / | / / / / / / / / | / / / / / / / / | / / / / / / / / :‖

**Coda**

   |Cm⁹              |E♭maj⁷
You'll speak when you're spoken to.
  |Gm⁷              |B♭
You'll speak when you're spoken to.
   |Cm⁹             |E♭maj⁷
He'll speak when he's spoken to.
  |Gm⁷            |Gm⁷    |
She'll speak when she's spoken to.

   Cm
| ⫽           ‖

# PANIC ATTACK

**Words and Music by Tom Atkins, Martin Hines, Josh Hubbard,
Lloyd Dobbs and Grant Dobbs**

|A          |A          |
**Verse 2**        You two decide,
| C#m                    |E          |
            Choose when if you wanna stay alive.
|A          |A          |
            Keep yourself in my eye
| C#m                    |E              |
            Don't say that you cannot see the signs
|A          |A          |
            You wanna die?
| C#m      |E          |
            Go on commit suicide
|A          |A          |
            You wanna live don't you?
| C#m          |E      |(A)
            Well I  do   too.


**Chorus 2**        As Chorus 1

**Instrumental**

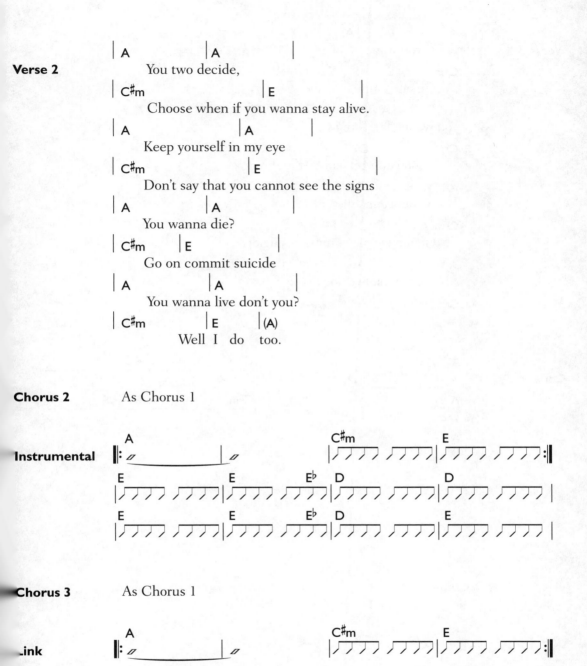

**Chorus 3**        As Chorus 1

**Link**

**Verse 3**

| A          | A          |          |
           If you wanna die
| C#m     | E          |          |
           Go on commit suicide.
| A          | A          |          |
  You wanna live I know,
| C#m        | E          |                |
             You gotta get 'em by the throat.
| A          | A          |          |
           If you wanna die
| C#m        | E          |          |
           Go on, keep committing suicide,
| A          | A          |          |
           You wanna live don't you?
| C#m        | E          ‖ (A)
             Well I   do    too.

**Coda**

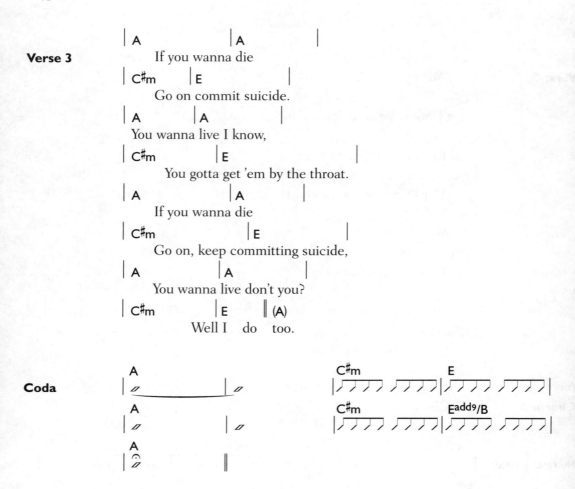

# PRECIOUS

### Words and Music by Martin Gore

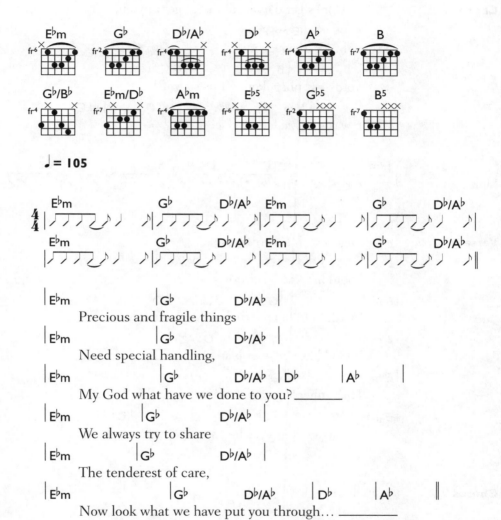

♩ = 105

**Intro**

$\frac{4}{4}$ | E♭m | G♭ | D♭/A♭ E♭m | G♭ | D♭/A♭ |

| E♭m | G♭ | D♭/A♭ E♭m | G♭ | D♭/A♭ |

**Verse 1**

| E♭m | G♭ D♭/A♭ |

Precious and fragile things

| E♭m | G♭ D♭/A♭ |

Need special handling,

| E♭m | G♭ D♭/A♭ | D♭ | A♭ |

My God what have we done to you?_____

| E♭m | G♭ D♭/A♭ |

We always try to share

| E♭m | G♭ D♭/A♭ |

The tenderest of care,

| E♭m | G♭ D♭/A♭ | D♭ | A♭ ‖

Now look what we have put you through… _____

**Chorus 1**

|B          |G♭/B♭      |E♭m

Things get damaged, things get broken,

|E♭m/D♭

I thought we'd managed,

|B       |G♭/B♭

But words left unspoken left us so brittle,

|A♭m    |A♭m    |N.C.    |N.C.

There was so little left to give.

**Link**

E♭m         G♭    D♭/A♭   E♭m         G♭    D♭/A♭

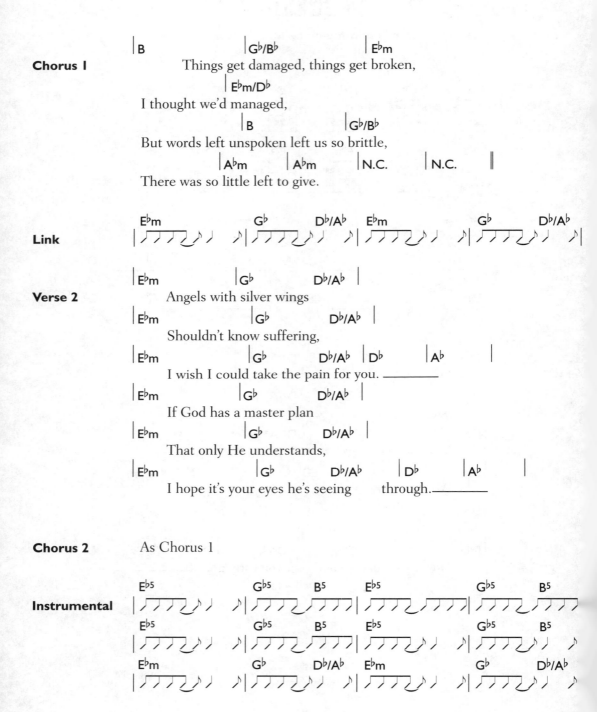

**Verse 2**

|E♭m       |G♭     D♭/A♭ |

Angels with silver wings

|E♭m       |G♭     D♭/A♭ |

Shouldn't know suffering,

|E♭m       |G♭     D♭/A♭ |D♭   |A♭    |

I wish I could take the pain for you. _____

|E♭m       |G♭     D♭/A♭ |

If God has a master plan

|E♭m       |G♭     D♭/A♭ |

That only He understands,

|E♭m       |G♭     D♭/A♭ |D♭   |A♭    |

I hope it's your eyes he's seeing   through._____

**Chorus 2**     As Chorus 1

**Instrumental**

E♭5       G♭5   B5   E♭5       G♭5   B5

E♭5       G♭5   B5   E♭5       G♭5   B5

E♭m       G♭   D♭/A♭   E♭m       G♭   D♭/A♭

**Verse 3**

|E♭m          |G♭          D♭/A♭ |

I pray you learn to trust,

|E♭m          |G♭          D♭/A♭ |

Have faith in both of us

|E♭m          |G♭          D♭/A♭ |D♭          |A♭          |

And keep room in your hearts for    two. _____

**Chorus 3**          As Chorus 1

**Coda**

# RIOT RADIO

### Words and Music by Matthew McManamon, Charles Turner, Ben Gordon and Brian Johnson

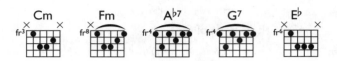

Cm    Fm    A♭7    G7    E♭

♩ = 140

**Intro**

| Cm | | Cm | | | |

| Cm | | Cm | | | |

**Verse 1**

| Cm | | Cm | | Cm | Cm | |

Airways beam from the light on the tower,

| Cm | | Cm | | Cm | | |

Get my kicks from your     eleventh hour.

| Cm | | Fm | Fm | Fm | |

    Won't you give me some more?

| Fm | Cm | Cm | Cm | Cm ‖

Riot on the radio.

**Verse 2**

| N.C. | | N.C. | | Cm | Cm | |

Burning up set my mind on fire.

| Cm | | Cm | | Cm | | |

A talk talk speaker on the     end of the wire.

| Cm | | Fm | Fm | Fm | |

    You know I cancelled it out.

| Fm | Cm | Cm | Cm | |

Riot on the radio.

**Chorus 1**

| Cm | | A♭7 | A♭7 | G7 | |

You know it's turning me on.

| G7 𝄽 - | |

Riot on the radio.

**Guitar Solo**

```
      Cm                    Cm
   | /  /  /  / | /  /  /  / |
```
Yow, ow, ow, ow, ow, ow!

```
      Cm                    Cm               E♭              E♭
   | /  /  /  / | /  /  /  / | /  /  /  / | /  /  /  / |

      Cm                    Cm               E♭              E♭
   | /  /  /  / | /  /  /  / | /  /  /  / | /  /  /  / ‖
```

**Verse 3**

| Cm                    | N.C.              | Cm        | Cm        |

Airways beam from the light on the tower,

| N.C.                  | N.C.              | Cm        |

Get my kicks from your    eleventh hour.

| Cm                    | Fm        | Fm        | Fm        |

Won't you give me some more?

| Fm          | Cm        | Cm        | Cm        |

Riot on the radio.

**Chorus 2**

| Cm                        | A♭7       | A♭7       | G7        |

You know it's turning me on.

| G7  ⅞    -        | Cm        | Cm        | Cm        |

Riot on the radio.

| Cm          | Cm        |

Riot, riot!

| Cm                        | Cm        |

Won't you give me some more?_____

| Cm          | Cm  ⅞    -        ‖

Riot, riot!

# REBELLION (LIES)

### Words and Music by Win Butler, Regine Chassagne, Richard Parry, Tim Kingsbury and Josh Deu

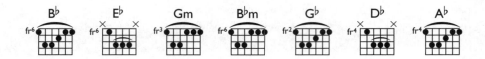

♩ = 124

**Intro**

**Verse 1**

Sleeping is giving in,    no matter what the time is.

Sleeping is giving in,    so lift those heavy eyelids.

People say that you'll die    faster than without water.

But we know it's just a lie;    scare your son, scare your daughter.

**Link**

**Verse 2**

People say that your dreams

Are the only things that save ya.

Come in baby in our dreams,

We can live our misbehaviour.

**Chorus 1**

| B♭ | E♭ | |

Every time you close your eyes, (lies, lies!)

| B♭ | E♭ | |

Every time you close your eyes, (lies, lies!)

| B♭ | E♭ | |

Every time you close your eyes, (lies, lies!)

| B♭ | E♭ | |

Every time you close your eyes, (lies, lies!)

| B♭m | G♭ | |

Every time you close your eyes,

| D♭ | A♭ | |

Every time you close your eyes,

| B♭m | G♭ | |

Every time you close your eyes,

| D♭ | A♭ | |

Every time you close your eyes.

**Link 2**

| B♭        | E♭        | B♭        | Gm        |
| / / / / / / / / | / / / / / / / / | / / / / / / / / | / / / / / / / / ‖

**Verse 3**

| B♭ | E♭ | B♭ | Gm | |

People try and hide the night        underneath the covers.

| B♭ | E♭ | B♭ | Gm | |

People try and hide the light        underneath the covers.

| B♭ | E♭ | |

Come on hide your lovers underneath the covers.

| B♭ | Gm | |

Come on hide your lovers underneath the covers.

| B♭ | E♭ | |

Hidin' from your brothers underneath the covers,

| B♭ | Gm | |

Come on hide your lovers underneath the covers.

**Instrumental**

| B♭        | E♭        | B♭        | Gm        |
| / / / / / / / / | / / / / / / / / | / / / / / / / / | / / / / / / / / |

| B♭        | E♭        | B♭        | Gm        |
| / / / / / / / / | / / / / / / / / | / / / / / / / / | / / / / / / / / ‖

**Verse 4**

| Bb      | Eb    | Bb    | Gm   |

People say that you'll die    faster than without water.

| Bb      | Eb | Bb    | Gm   |

But we know it's just a lie;  scare your son, scare your daughter.

| Bb       | Eb     |

Scare your son, scare your daughter.

| Bb       | Gm    ‖

Scare your son, scare your daughter.

 

**Chorus 2**

| Bb       | Eb     |

Now here's the sun, it's alright! (Lies, lies!)

| Bb       | Eb     |

Now here's the moon, it's alright! (Lies, lies!)

| Bb       | Eb     |

Now here's the sun, it's alright! (Lies, lies!)

| Bb       | Eb     |

Now here's the moon, it's alright! (Lies, lies!)

| Bbm      | Gb     |

But every time you close your eyes. (Lies, lies!)

| Db       | Ab     |

Every time you close your eyes. (Lies, lies!)

| Bbm      | Gb     |

Every time you close your eyes. (Lies, lies!)

| Db       | Ab     ‖

Every time you close your eyes. (Lies, lies!)

 

**Coda**

‖: Bbm / / / / / / / / | Gb / / / / / / / / | Db / / / / / / / / | Ab / / / / / / / / |

| Bbm / / / / / / / / | Gb / / / / / / / / | Db / / / / / / / / | Ab / / / / / / / / :‖

*x4*

| Bbm / / / / / / / / | Gb / / / / / / / / | Db / / / / / / / / | Ab / / / / / / / / |

| Bbm // ‖

# ST PETERSBURG

**Words and Music by Gareth Coombes, Daniel Goffey,
Michael Quinn and Robert Coombes**

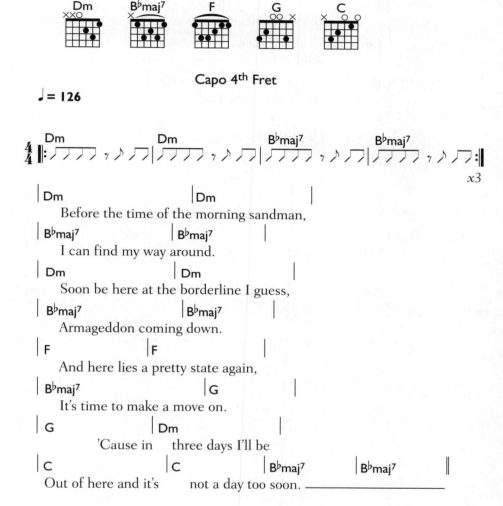

Capo 4th Fret

♩ = 126

**Intro**

| Dm | Dm | B♭maj⁷ | B♭maj⁷ |

*x3*

**Verse 1**

| Dm | Dm | |

Before the time of the morning sandman,

| B♭maj⁷ | B♭maj⁷ | |

I can find my way around.

| Dm | Dm | |

Soon be here at the borderline I guess,

| B♭maj⁷ | B♭maj⁷ | |

Armageddon coming down.

| F | F | |

And here lies a pretty state again,

| B♭maj⁷ | G | |

It's time to make a move on.

| G | Dm | |

'Cause in   three days I'll be

| C | C | B♭maj⁷ | B♭maj⁷ |

Out of here and it's   not a day too soon. _____

2005 EMI Music Publishing Ltd, London WC2H 0Q

**Verse 2**

|Dm            |Dm           |
      Firelight,    the light of love burns,

| B♭maj⁷           |B♭maj⁷       |
      Turns to ashes in your hand.

| Dm           |Dm           |
      So to bed by the morning light I guess,

| B♭maj⁷           |B♭maj⁷       |
      I'm awake and understand.

| F           |F           |
      Set sail for St. Petersburg,

| B♭maj⁷           |G           |
      Making use of my time.

| G           |Dm           |
      'Cause in     three days I'll be

| C           |C           | B♭maj⁷     | B♭maj⁷     ‖
      Out of here and it's     not a day too soon. ⎯⎯⎯⎯⎯⎯⎯⎯⎯⎯

**Instrumental**

‖: Dm | Dm | B♭maj⁷ | B♭maj⁷

| F | F | B♭maj⁷ | G

| G | Dm | C | C

| B♭maj⁷ | B♭maj⁷ ‖

**Verse 3**

|Dm                |Dm              |

Head out to a better life, I can

| B♭maj⁷           | B♭maj⁷         |

Get a job, settle down.

| Dm             |Dm              |

I'm full of love, of a full of feeling,

| B♭maj⁷            |B♭maj⁷       |

I can't stand the here and now.

| F               |F              |

Leave town for pity's sake you know,

| B♭maj⁷         |G            |

It's time to make a move on.

| G           |Dm           |

   'Cause in    three days I'll be

| C           |C         |Dm        |

Out of here and it's    not a day too soon,   yeah

| Dm           |C        |

Three days I'll be out of here and it's

| C         | B♭maj⁷   | B♭maj⁷    |

Not a day too soon._____

| B♭maj⁷    | B♭maj⁷    | Dm       ‖

# SKY STARTS FALLING

**Words and Music by Jimi Goodwin, Jez Williams and Andy Williams**

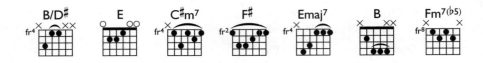

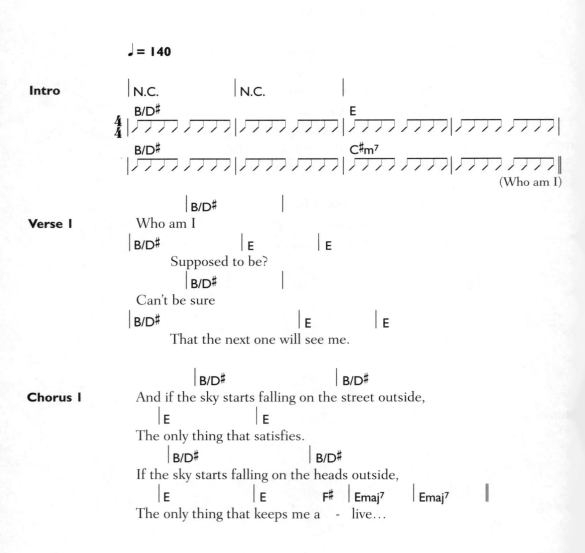

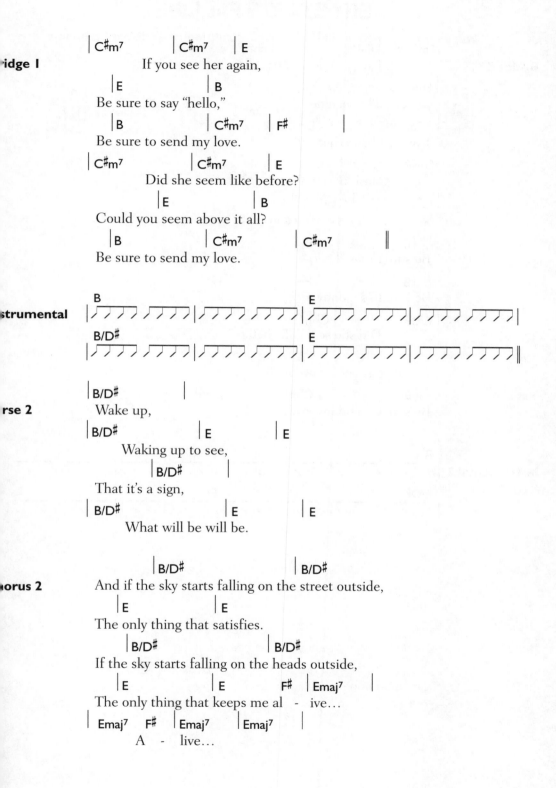

| C#m⁷ | | C#m⁷ | E |

**ridge I**

If you see her again,

| E | | B |

Be sure to say "hello,"

| B | | C#m⁷ | F# | |

Be sure to send my love.

| C#m⁷ | | C#m⁷ | E |

Did she seem like before?

| E | | B |

Could you seem above it all?

| B | | C#m⁷ | C#m⁷ | ‖

Be sure to send my love.

**strumental**

B ... E

B/D# ... E

**rse 2**

| B/D# | |

Wake up,

| B/D# | | E | E |

Waking up to see,

| B/D# | |

That it's a sign,

| B/D# | | E | E |

What will be will be.

**1orus 2**

| B/D# | | B/D# |

And if the sky starts falling on the street outside,

| E | | E |

The only thing that satisfies.

| B/D# | | B/D# |

If the sky starts falling on the heads outside,

| E | | E | F# | Emaj⁷ | |

The only thing that keeps me al - ive...

| Emaj⁷ | F# | Emaj⁷ | Emaj⁷ | |

A - live...

$\left|\text{Fm}^{7(\flat 5)}\right.$    $\left|\text{Fm}^{7(\flat 5)}\right.$      $\left|\text{Emaj}^7\right.$      |

**Bridge 2**      I swear I heard her call,

$\left|\text{Emaj}^7\right.$      $\left|\text{Fm}^{7(\flat 5)}\right.$    |

     Call my name,

|   $\text{Fm}^{7(\flat 5)}$      $\left|\text{Emaj}^7\right.$      |

   I swear I heard her call,

$\left|\text{Emaj}^7\right.$      |

     Can I move on?

$\left|\text{C}\#\text{m}^7\right.$      $\left|\text{C}\#\text{m}^7\right.$    | E

     If you see her again,

     | E      | B

Be sure to say "hello,"

     | B      | F#      | F#      |

Be sure to send my love.

$\left|\text{C}\#\text{m}^7\right.$      $\left|\text{C}\#\text{m}^7\right.$    | E

     Did she seem like before?

     | E      | B

Could you seem above it all?

     | B      $\left|\text{C}\#\text{m}^7\right.$      $\left|\text{C}\#\text{m}^7\right.$      |

Be sure to send my love.

     B                             E

**Instrumental 2** | ♪♪♪♪ ♪♪♪♪ | ♪♪♪♪ ♪♪♪♪ | ♪♪♪♪ ♪♪♪♪ | ♪♪♪♪ ♪♪♪♪ |

     B/D#                         E

| ♪♪♪♪ ♪♪♪♪ | ♪♪♪♪ ♪♪♪♪ | ♪♪♪♪ ♪♪♪♪ | ♪♪♪♪ ♪♪♪♪ ‖

|Fm⁷⁽♭⁵⁾ |Fm⁷⁽♭⁵⁾ |Emaj⁷ |

**Bridge 3**               I swear I heard her call,

|Emaj⁷ |Fm⁷⁽♭⁵⁾ |

         Call my name,

| Fm⁷⁽♭⁵⁾ |Emaj⁷ |

I swear I heard her call,

|Emaj⁷ |

      Can I move on?

C♯m⁷                        E

|∕∕∕∕ ∕∕∕∕|∕∕∕∕ ∕∕∕∕|∕∕∕∕ ∕∕∕∕|∕∕∕∕ ∕∕∕∕|

B                        F♯

|∕∕∕∕ ∕∕∕∕|∕∕∕∕ ∕∕∕∕|∕∕∕∕ ∕∕∕∕|∕∕∕∕ ∕∕∕∕|

|C♯m⁷ |C♯m⁷ |E

         Did she call herself a friend?

|E |B

Don't call on me again,

|B |C♯m⁷ |C♯m⁷ |

Don't call on me again.

|C♯m⁷ |C♯m⁷ |E

         Did she seem like before?

|E |B

Could you seem above it all?

|B |C♯m⁷ ‖

Be sure to send her my love.

# THIS TOWN AIN'T BIG ENOUGH
# FOR THE BOTH OF US

### Words and Music by Ronald Mael

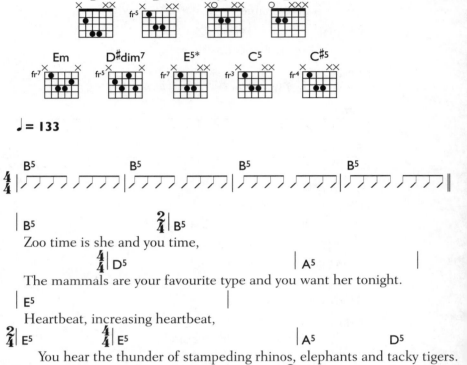

♩ = 133

**Intro**  $\frac{4}{4}$ | B5 | B5 | B5 | B5 |

**Verse 1**  | B5  $\frac{2}{4}$| B5

Zoo time is she and you time,

$\frac{4}{4}$| D5  | A5  |

The mammals are your favourite type and you want her tonight.

| E5  |

Heartbeat, increasing heartbeat,

$\frac{2}{4}$| E5  $\frac{4}{4}$| E5  | A5  D5

You hear the thunder of stampeding rhinos, elephants and tacky tigers.

| N.C.  $\frac{2}{4}$| N.C.  |

This town ain't big enough for the both of us.

$\frac{4}{4}$| Em  D#dim7  (B5) |

But it ain't me who's gonna leave.

**Guitar link**  B5  B5  B5  B5  B5  B5

| B⁵          $\frac{2}{4}$| B⁵

**Verse 2**    Flying, domestic flying,

                $\frac{4}{4}$| D⁵                    | A⁵             |

And when the stewardess is near, do not you show any fear.

| E⁵                 |

Heartbeat, increasing heartbeat,

$\frac{2}{4}$| E⁵     $\frac{4}{4}$| E⁵

You are a khaki-coloured bombardier,

     | A⁵        D⁵          |

It's Hiroshima that you're nearing.

|N.C.                            $\frac{2}{4}$| N.C.        |

    This town ain't big enough for the both of us.

$\frac{4}{4}$| E⁵         C⁵      (B⁵) |

But it ain't me who's gonna leave.

**Link**

B⁵  N.C.         B⁵            B⁵             B⁵

| ♩  𝄽  -  | ₇♪♩ ♩ ♩ | ♩ ♩ ♩ ♩ | ♩ ♩ ♩ ♩ ‖

| B⁵          $\frac{2}{4}$| B⁵

**Verse 3**    Daily, except for Sunday,

                $\frac{4}{4}$| D⁵             | A⁵               |

You dawdle into the cafe, where you meet her each day.

| E⁵                 |

Heartbeat, increasing heartbeat,

$\frac{2}{4}$| E⁵     $\frac{4}{4}$| E⁵

    As twenty cannibals have hold of you,

     | A⁵          D⁵         |

They need their protein just like you do.

|N.C.                             $\frac{2}{4}$| N.C.       |

    This town ain't big enough for the both of us.

$\frac{4}{4}$| E⁵         C⁵      | B⁵     | B⁵      |

But it ain't me who's gonna leave._____

**Guitar Solo**

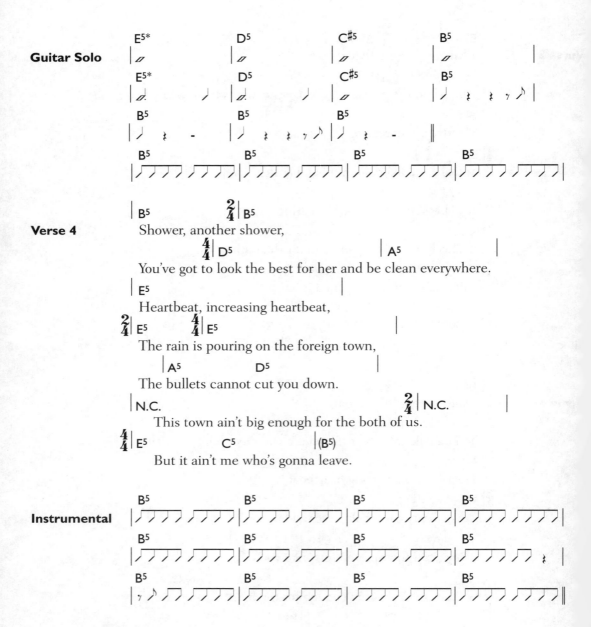

**Verse 4**

| B⁵     **2/4** | B⁵

Shower, another shower,

     **4/4** | D⁵               | A⁵

You've got to look the best for her and be clean everywhere.

| E⁵

Heartbeat, increasing heartbeat,

**2/4** | E⁵     **4/4** | E⁵

The rain is pouring on the foreign town,

     | A⁵       D⁵

The bullets cannot cut you down.

| N.C.             **2/4** | N.C.

    This town ain't big enough for the both of us.

**4/4** | E⁵      C⁵      | (B⁵)

But it ain't me who's gonna leave.

**Instrumental**

**Verse 5**

|  B⁵              | $\frac{2}{4}$| B⁵

Census, the latest census,

$\frac{4}{4}$| D⁵                                                    | A⁵                                 |

There'll be more girls who live in town, though not enough to go 'round.

|  E⁵                                          |

Heartbeat, increasing heartbeat,

$\frac{2}{4}$| E⁵            $\frac{4}{4}$| E⁵

You know that this town isn't big enough,

|  E⁵                                  |

Not big enough for both of us.

|  E⁵                                          | E⁵                                                      |

This town isn't big enough, not big enough, for both of us,

|  E⁵              | E⁵                    ‖

I ain't gonna leave!

# TURN UP THE SUN

### Words and Music by Andrew Bell

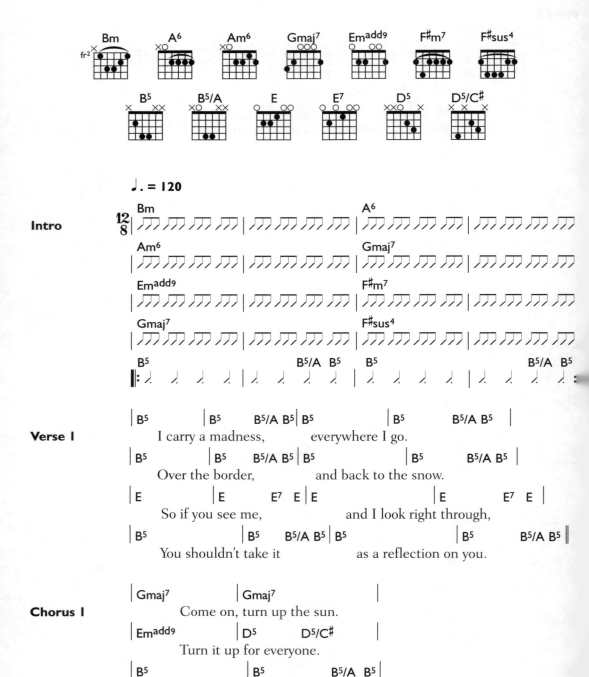

**Intro**

Bm      A⁶

Am⁶      Gmaj⁷

Emadd9      F#m⁷

Gmaj⁷      F#sus⁴

B⁵      B⁵/A B⁵ B⁵      B⁵/A B⁵

**Verse I**

| B⁵   | B⁵   B⁵/A B⁵ | B⁵    | B⁵    B⁵/A B⁵ |
I carry a madness,      everywhere I go.

| B⁵   | B⁵   B⁵/A B⁵ | B⁵    | B⁵    B⁵/A B⁵ |
Over the border,      and back to the snow.

| E   | E   E⁷ E | E    | E    E⁷ E |
So if you see me,      and I look right through,

| B⁵   | B⁵   B⁵/A B⁵ | B⁵    | B⁵    B⁵/A B⁵ ‖
You shouldn't take it      as a reflection on you.

**Chorus I**

| Gmaj⁷   | Gmaj⁷     |
Come on, turn up the sun.

| Emadd9   | D⁵    D⁵/C#   |
Turn it up for everyone.

| B⁵   | B⁵    B⁵/A B⁵ |
Love one another,

| B⁵   | B⁵    B⁵/A B⁵ ‖
Love one another.

| B⁵ | | | B⁵ | B⁵/A B⁵ |

**erse 2**

The boys in the bubble,

| B⁵ | | | B⁵ | B⁵/A B⁵ |

They wanna be free.

| B⁵ | | B⁵ | B⁵/A B⁵ |

And they got so blind,

| B⁵ | | | B⁵ | B⁵/A B⁵ |

That they cannot see.

| E | | | E | E⁷ E |

Well I'm not your keeper,

| E | | E | E⁷ E |

I don't have a key.

| B⁵ | | B⁵ | B⁵/A B⁵ |

I got a piano,

| B⁵ | | | B⁵ | B⁵/A B⁵ ‖

I can't find the C.

**horus 2**        As Chorus 1

**horus 3**        As Chorus 1

**oda**

Bm                          A⁶

Am⁶                          Gmaj⁷

Emadd9                          F♯m⁷

Gmaj⁷                          F♯sus⁴

Bm

# TWO MORE YEARS

**Words and Music by Kele Okereke, Russell Lissack,
Gordon Moakes and Matt Tong**

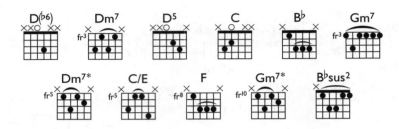

♩ = 155

**Intro**

|: D(♭6) | D(♭6) | D(♭6) | D(♭6) |

**Verse 1**

| Dm7 _____ | Dm7 | D5 _____ | D5 |
In two more years, my sweetheart, we will see another view,

| Dm7 _____ | Dm7 | D5 | C |
Such longing for the past for such comple - tion

| Dm7 _____ | Dm7 | D5 _____ | D5 |
What was once golden has now turned a shade of grey,

| Dm7 _____ | Dm7 | D5 | C |
I've become crueller in your pres - ence.

| B♭ | B♭ Gm7 | D5 | C |
They say: "be brave, there's a right way and a wrong way."

| B♭ | B♭ | B♭ | B♭ ‖
This pain won't last for ever, this pain won't last for ever.

**Chorus 1**

| Dm7* | C/E | F |
Two more years, there's only two more years,

| Gm7* | Dm7* |
Two more years, there's only two more years,

| C/E | B♭ | Gm7 |
Two more years so hold on.

| Dm7* | C/E | F |
Two more years, there's only two more years,

| Gm7* | Dm7* |
Two more years, there's only two more years,

| C/E | B♭ | Gm7 ‖
Two more years so hold on.

© 2005 EMI Music Publishing Ltd, London WC2H 0QY

**nk**

| Dm⁷ | Dm⁷ | Dm⁷ | Dm⁷ |

$$Dm^7 \quad Dm^7 \quad Dm^7 \quad Dm^7$$

**rse 2**

| Dm⁷ | Dm⁷ | D⁵ | D⁵ |

You've cried enough this lifetime, my beloved polar bear,

| Dm⁷ | Dm⁷ | D⁵ | C |

Tears to fill a sea to drown a bea - con.

| Dm⁷ | Dm⁷ | D⁵ | D⁵ |

To start anew all over, remove those scars from your arms,

| Dm⁷ | Dm⁷ | D⁵ | C |

To start anew all over more enlight - ened.

| B♭ | B♭ Gm⁷ | D⁵ | C |

I know, my love, this is not the only story you can tell,

| B♭ | B♭ | B♭ | B♭ |

This pain won't last for ever, this pain won't last for ever.

**orus 2**

As Chorus 1

**orus 3**

| Dm⁷* | C/E |

You don't need to find answers

| F | Gm⁷* |

For questions never asked of you,

| Dm⁷* | C/E | B♭ | Gm⁷ |

You don't need to find answers.

| Dm⁷* | C/E |

You don't need to find answers

| F | Gm⁷* |

For questions never asked of you,

| Dm⁷* | C/E | B♭ | B♭ |

You don't need to find answers.

**Bridge**

|B♭sus² |B♭sus² |

Dead weights and balloons

|B♭sus² |B♭sus² |

Drag me    to you,

|B♭sus² |B♭sus² |

Dead weights and balloons

|B♭sus² |B♭sus² |

To sleep in your arms.

|B♭sus² |B♭sus² |

I've become crueller

|B♭sus² |B♭sus² |

Since I    met you,

|B♭sus² |B♭sus² |

I've become   rougher,

|B♭sus² |B♭sus² ‖

This world is killing me.

**Chorus 4**    As Chorus 3

**Coda**

B♭sus²              B♭sus²              B♭sus²              B♭sus²

*fade*

# UNSATISFIED

**Words and Music by James Galley, Samuel Forrest,
David Jones and Martin Cohen**

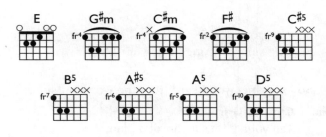

♩ = 128

**Intro** $\frac{4}{4}$ | N.C. | N.C. | N.C. | N.C. ‖

E                                              G#m

‖: ⁄ ⁄ ⁄ ⁄ | ⁄ ⁄ ⁄ ⁄ | ⁄ ⁄ ⁄ ⁄ | ⁄ ⁄ ⁄ ⁄ :‖

*x4*

**Verse 1**

| E        | E        | G#m      | G#m      |

Ten out of ten for a race already run.

| E        | E        | G#m      |

Bleeding the world 'cos you can't figure out what's wrong.

| G#m   C#m | G#m      F#      G#m |

So come back down from your daydream high.

| G#m   C#m | G#m      F#      G#m |

Lost for words when you sympathise,

| G#m      C#m | G#m   F#   $\frac{2}{4}$| G#m   $\frac{4}{4}$| C#m |

There's a million ways to believe you try, well, I'm…

**Chorus 1**

| F#       | E        |

Unsatisfied,

| G#m      | E        |

Unsatisfied,

| G#m      | C#5   B5 | A#5   A5      |

Just sick and tired of all I've tried, unsatisfied.

G#m              G#

| ⁄ ⁄ ⁄ ⁄ | ⁄ ⁄ ⁄ ⁄ ‖

**Link**

| E | | | G#m | | | |
|---|---|---|---|---|---|---|

℩: ∕∕∕∕ ∕∕∕∕ | ∕∕∕∕ ∕∕∕∕ | ∕∕∕∕ ∕∕∕∕ | ∕∕∕∕ ∕∕∕∕ :℩

**Verse 2**

| E | | E | G#m | G#m | |
|---|---|---|---|---|---|

So long since the one lit up your life.

| E | | E | G#m | |
|---|---|---|---|---|

So long since you heard from the world outside.

| G#m  C#m | G#m  F#    G#m |
|---|---|

Tell yourself it's a part of a plan,

| G#m  C#m | G#m    F#    G#m |
|---|---|

Knock you low, find out where you stand.

| G#m     C#m | G#m  F#  $\frac{2}{4}$|G#m  $\frac{4}{4}$|C#m |
|---|---|

There's a million ways to believe you can, well, I'm…

**Chorus 2**

| F# | E | |
|---|---|---|

Unsatisfied,

| G#m | E | |
|---|---|---|

Unsatisfied,

| G#m | C#5  B5 | A#5  A5 | |
|---|---|---|---|

Just sick and tired of all I've tried, unsatisfied.

| G#m | G#  B5  D5 C#5 |
|---|---|

| ∕∕∕∕ ∕∕∕∕ | ∕∕∕∕ ∕∕∕∕ ‖

**Bridge**

| C#5 | C#5 | B5  D5 C#5 |
|---|---|---|

Should look where you're going,

| C#5 | C#5 | B5  D5 C#5 |
|---|---|---|

Or where you're gonna hide.

| C#5 | C#5 | B5  D5 C#5 |
|---|---|---|

You should be feeling something,

| C#5 | C#5 | ‖
|---|---|

Of another life._____

**Coda**　　　｜ E　　　　｜

｜ G♯m　　　｜ E　　　　｜
　　　　Unsatisfied,
｜ G♯m　　　｜ E　　　　｜
　　　　Unsatisfied,
｜ G♯m　　　｜ E　　　　｜
　　　　Unsatisfied,
｜ G♯m　　　｜ E　　　　｜
　　　　Unsatisfied,
｜ G♯m　　　　　　　　｜ E　　　　｜
　　　So why do you wanna hide? _____
｜ G♯m　　　｜ E　　　｜
　　　Every little lie, _____
｜ G♯m　　　｜ E　　　｜
　　　Keeps it inside, _____
｜ G♯m　　　｜ E　　　｜ G♯m　　　‖
　　　Unsatisfied.

# WAITING FOR THE SIREN'S CALL

**Words and Music by Bernard Sumner, Peter Hook,
Stephen Morris and Philip Cunningham**

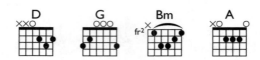

♩ = 134

**Intro**

```
  D                 D                 D                 D
4 |♪ ♪  ♩ ♪ ♪ ♩ ♪|♪ ♪  ♪ ♪ ♪ ♩ ♪|♪ ♪  ♪ ♪ ♪ ♩ ♪|♪ ♩ ♩ ♪ ♪ ♩ ♪|
4
  G                 G                 D                 D
 |♪ ♪  ♪ ♪ ♩ ♪ ♪|♪ ♪  ♪ ♪ ♪ ♪ ♪|♪ ♪  ♪ ♪ ♩ ♪ ♪|♪ ♩ ♩ ♪ ♪ ♩ ♪‖
```

**Verse 1**

|D | |D | |

What does this ship bring to me,

|D | |D | |

Far across the restless sea?

|G | |G | |

Waiting for the siren's call,

|D | |D | |

I've never seen it here before.

|D | |D | |

There she plies a lonely trade,

|D | |D | |

Cutting through the breaking waves.

|G | |G | |

Drifting slowly from her course,

|D | |D | |

She is lost forever more.

|D | |D | |

We all want some kind of love

|D | |D | |

But sometimes it's not enough

|G | |G | |

To the wall and through the door

|D | |D | ‖

With a stranger on the shore.

**Chorus 1**

```
(D)        |Bm                |
    I won't desert you,
|A              |G              |
    I don't know what to say.
|G          |Bm                |
    I really hurt you,
|A                  |G              |
    I nearly gave it all away.
|G            |Bm                |
    I've got it all wrong,
|A                          |G              |
    'Cause you were not the wrong one,
|G                |Bm        |A          |G              |
    And I don't know where to    turn when you're gone,
|G                      |(D)
        When you're gone.
```

**Link**

```
 D              D              D              D
|♪ ♪   ♪♪ ♪   ♪|♪ ♪   ♪♪♪   ♪|♪ ♪   ♪♪ ♪   ♪|♪ ♪   ♪♪ ♪   ♪|
 G              G              D              D
|♪ ♪   ♪♪ ♪   ♪|♪ ♪   ♪♪♪   ♪|♪ ♪   ♪♪ ♪   ♪|♪ ♪   ♪♪ ♪   ♪|
```

**Verse 2**

```
|D                  |D              |
        Gotta catch the midnight train,
|D                  |D              |
        First to Paris, then to Spain,
|G                  |G              |
        Travel with a document,
|D                  |D              |
        All across the continent.
|D                  |D              |
        City life is flying by
|D                      |D          |
        The wheels are turning all the while,
|G                  |G              |
        Get on board, we can't be late,
|D                  |D          |
        Our destination cannot wait.
```

**(cont.)**

| D       | D       |
All the stars and all the worlds

| D       | D       |
Filling up this Universe

| G       | G       |
Could never be as close as us,

| D       | D       ‖
Will never shine as bright on us.

**Chorus 2**      As Chorus 1

**Instrumental**

*x3*

**Chorus 3**      As Chorus 1

**Bridge**

| Bm | A | G | G |
How many times must I lose my way?____

| Bm | A | G | G |
How many words do I have to say?_____

| Bm | A | G | G |
What can I do just to make you see

| Bm | A | G | G | (Bm)
That you're so good for a man like,    a man like me?

**Coda**

*x4*

# WORK, WORK, WORK (PUB, CLUB, SLEEP)

### Words and Music by Matthew Swinnerton, Alan Donohoe, Lasse Petersen and James Horn-Smith

♩ = 145

**Intro**

4/4 | B5 | B5 | B5 | B5 A/B |
| B | A/B B | F#m/E |
| E | F#m/E E |

**Verse 1**

| B5 | B5 |
Maybe lack of sleep or last night's drinks,
| B5 | B5 |
Now my eyes twitch and if that prick coughs again
| E5 | E5 |
In the back of my head,
| E5 | E5 | |
I'll smash your fucking face in.
| B5 | B5 |
Ok, that's it, take a deep breath,
| B5 | B5 |
I've got to get out of here, I've got to clear my head.
| E5 | E5 | |
I've got to clear my head.

| E5 | E5 | |

**Link 1**

| B | A | C#m | C#m |

**Chorus 1**

| B | A | |

It's all these words, ideas and different arguments,

| C#m | C#m |

Someone's always talking when I try to make some sense.

| B | A |

From all this stress that is constantly going on,

| C#m | C#m | |

I just drift along with no focus or meaning.

| B | A |

Lean back, stare up, at the ceiling.

| C#m | C#m | |

I just drift along with no focus or meaning.

**Link 2**

E/G#　　　　C#m　　　　E/G#　　　　E5/F#

**Instrumental**

B5　　　B5　　　B5　　　B5　C#5　D#5

E5　　　E5　　　E5　　　E5　C#5　D#5

**Verse 2**

| B5 | B5 |

I've got the same shirt on for two days in a row,

| B5 | B5　C#5　D#5 |

With a soy sauce stain so everyone knows.

| E5 | E5 | |

A shower and scrub, still smell like the smoking

| E5 | E5 | |

Bit in a Wetherspoons pub.

| B5 | B5 | |

I'll have my lunch early, get some

| B5 | B5　C#5　D#5 |E | |

Sugar in my blood, my clothes still  smell of last night.

| E5 | E5 | E5 | |

I've got to clear my head.

**Link 3**　　　As Link 1

| | |
|---|---|
| **Chorus 2** | As Chorus 1 |
| **Link 3** | As Link 2 |

**Instrumental**

Em

| ∥ ∥⁒ ————————— ∥⁒ ————————— ∥⁒ ————————— ∥⁒ | ∥ |

**Verse 3**

| N.C. (E bass) |
Why do these tourists walk so slow?

| (E bass)
'Specially now I've got somewhere to go?

| (E bass) |
And a posh sounding girl, going on and on

| (E bass) |
About her dog, Mr Morgan.

| (E bass) |
It sounds so funny when I hear you calling!

| (E bass) |
Mum be like "What you been doing?"

| (E bass) |
Please shut up and try and sound confident.

| (E bass) |
In a crap job when your mini-course is done.

| | |
|---|---|
| **Link 4** | As Link 2 |
| **Chorus 3** | As Chorus 1 |
| **Link 5** | As Link 2 |

**Coda**

E⁵/F♯        E

| / / / / / / / / | 𝄌 ⁒ | ∥

# WAKE ME UP WHEN SEPTEMBER ENDS

**Words and Music by Billie Joe Armstrong,
Michael Pritchard and Frank E. Wright III**

Chord diagrams: G5, G5/F#, Em7, G5/D, C, Cm, G5*, D/F#, Em, Bm, D, G5/F#*, Dsus4

♩ = 104

**Intro**

| G5 | 4/4 strum pattern × 4 bars |

**Verse 1**

| G5 | G5/F# | Em7 | G5/D |

Summer has come and passed, the innocent can never last.

| C | Cm | G5* | G5* |

Wake me up when September ends.

| G5 | G5/F# | Em7 | G5/D |

Like my fathers come to pass, seven years has gone so fast.

| C | Cm | G5* | G5*   D/F# |

Wake me up when September ends.

**Chorus 1**

| Em | Bm | C | G5*   D/F# |

Here comes the rain again, falling from the stars.

| Em | Bm | C | D |

Drenched in my pain again, becoming who we are.

| G5 | G5/F# | Em7 | G5/D |

As my memory rests, but never forgets what I lost.

| C | Cm | G5* | G5* |

Wake me up when September ends.

**Link**

| G5 | strum pattern × 4 bars |

| strum pattern × 2 bars |

*(electric guitar)*

**Verse 2**

| G⁵ | G⁵/F♯ | Em⁷ | G⁵/D | |

Summer has come and passed, the innocent can never last.

| C | Cm | G⁵* | G⁵* | |

Wake me up when September ends.

| G⁵ | G⁵/F♯ | Em⁷ | G⁵/D | |

Ring out the bells again, like we did when spring began.

| C | Cm | G⁵* | G⁵* G⁵/F♯ ‖

Wake me up when September ends.

**Chorus 2**        As Chorus 1

**Guitar Solo**

Em    Bm    C    G⁵*    G⁵/F♯

Em    Bm    C    Dsus⁴

D    Dsus⁴    D

G⁵

**Verse 3**

| G⁵ | G⁵/F♯ | Em⁷ | G⁵/D | |

Summer has come and passed, the innocent can never last.

| C | Cm | G⁵* | G⁵* | |

Wake me up when September ends.

| G⁵ | G⁵/F♯ | Em⁷ | G⁵/D | |

Like my fathers come to pass, twenty years has gone so fast.

| C | Cm | G⁵* | G⁵* | |

Wake me up when September ends.

| C | Cm | G⁵* | G⁵* | |

Wake me up when September ends.

| C | Cm | G⁵* | G⁵* | ‖

Wake me up when September ends.

# WICKED SOUL

## Words and Music by Ben Langmaid, Jeffrey Paterson and Harry Collier

Am    Fmaj⁷    Dm    Em    Am/G    Am/F#

Capo 1st Fret

♩ = 78

**Intro**

Am    Fmaj⁷    Dm    Em

Am    Fmaj⁷    Dm    Em

**Verse 1**

|Am          Fmaj⁷      |Dm        Em          |
I don't want to watch the street on TV,

|Am          Fmaj⁷      |Dm        Em          |
I don't want to to hear about your day.

|Am        Fmaj⁷    |Dm        Em                      |
I've got no time to hear      about how much you care,

|Am          Fmaj⁷      |Dm          Em            |
Shut your mouth and come this way.

|Am        Fmaj⁷    |Dm      Em          |
I'm the widow in your bedroom,

|Am          Fmaj⁷      |Dm      Em        ‖
And I can see you in the dark.      Oh

**Chorus 1**

|Am          Fmaj⁷      |Dm      Em          |
Tonight's the night I shed my wicked soul,

|Am            Fmaj⁷          |Dm      Em    |
I take it out on you and watch you lose control.

|Am          Fmaj⁷              |
Tonight's the night I shed my...

|Dm          Em              |
Tonight's the night I shed my...

|Am          Fmaj⁷          |
Tonight's the night I shed my

|Dm      Em          |Am      Fmaj⁷  |Dm        Em
Wicked soul,      my wicked soul...

**Verse 2**

| Am                Fmaj⁷        |Dm        Em          |

| Am          Fmaj⁷ |

Am / Fmaj⁷ / Dm / Em

Let's disconnect all communication,

Am / Fmaj⁷ / Dm / Em

I've told your mother not to call.

Am / Fmaj⁷ / Dm / Em

So lay down on the bed,     'cause now I've locked the door.

Am / Fmaj⁷ / Dm / Em

And we don't live out there no more.

Am / Fmaj⁷ / Dm / Em

I'm the widow in your bedroom, (widow)

Am / Fmaj⁷ / Dm / Em ‖

And I can see you in the dark.    Oh

**Chorus 2**

| Am      Fmaj⁷ | Dm    Em |

Tonight's the night I shed my wicked soul,

| Am      Fmaj⁷ | Dm    Em |

I take it out on you and watch you lose control.

| Am      Fmaj⁷ |

Tonight's the night I shed my…

| Dm      Em |

Tonight's the night I shed my…

| Am      Fmaj⁷ |

Tonight's the night I shed my

| Dm    Em | Am    Am/G | Am/F#    Fmaj⁷ |

Wicked soul,     my wicked soul…_____

| Am    Am/G | Am/F#    Fmaj⁷ ‖(Am) |

_____    My wicked soul…

**Instrumental**

| Am    Am/G    | Am/F#    Fmaj⁷ |

| Am    Am/G    | Am/F#    Fmaj⁷ |

**Chorus 3**      As Chorus 2 (to finish)

# WITH YOU

**Words by Billy Lunn**
**Music by The Subways**

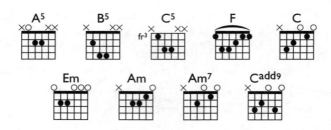

Capo 3rd Fret

♩ = 142

**Intro**
$\frac{4}{4}$ | A⁵ ∕ ∕ ∕ ∕ ∕ ∕ ∕ ∕ | ∕ ∕ ∕ ∕ ∕ ∕ ∕ ∕ ‖

**Verse 1**
| A⁵            | A⁵              |
    I live my life walking down the street.
| A⁵            | A⁵      B⁵      |
    Meet the faces of the people I see.
| C⁵        | C⁵          |
    All the time I see your reflection,
| C⁵        | C⁵          |
    All the time I see your reflection.

**Verse 2**
| A⁵        | A⁵          |
    It's ok to feel alone.
| A⁵        | A⁵   B⁵     |
    It's ok to be alone.
| C⁵        | C⁵          |
    All the time I see your reflection,
| C⁵        | C⁵          |
    All the time I see your reflection.

**Chorus 1**

| F | F | C | C | Em |

Cos when I'm with you,   it seems so   easy,

| Em | Am | Am | |

It seems  so  easy.

| F | F | C | |

My best days are with you,

| C | Em | |

They are so   easy.

| Em | Am | Am | ‖

They are so   easy.

**Instrumental 1**

A$^5$ ... B$^5$

C$^5$ ...

**Verse 3**

| Am$^7$ | Am$^7$ | Am$^7$ |

Yeah I don't like giving up,

| Am$^7$ | C$^{add9}$ | C$^{add9}$ | C | C | |

Cos giving up is easy. ——————————

| Am$^7$ | Am$^7$ | Am$^7$ |

And I'll see you again,

| Am$^7$   (B$^5$) | C$^{add9}$ | C$^{add9}$ | C | C | ‖

Just tell me where you'll meet me.

**Chorus 2**      As Chorus 1

**Instrumental 2**

A$^5$ ...

C$^5$ ...

**Chorus 3**      As Chorus 1

**Coda**

A$^5$ ... B$^5$

C$^5$

© 2006 BY FABER MUSIC LTD
FIRST PUBLISHED BY FABER MUSIC LTD IN 2006
3 QUEEN SQUARE, LONDON WC1N 3AU

MUSIC ARRANGED AND ENGRAVED BY TOM FLEMING
COMPILED BY LUCY HOLLIDAY
EDITED BY LUCY HOLLIDAY AND MATT GATES

PHOTOGRAPH PROVIDED BY REDFERNS MUSIC PICTURE LIBRARY

PRINTED IN ENGLAND BY CALIGRAVING LTD
ALL RIGHTS RESERVED

ISBN 0-571-52472-9

TO BUY FABER MUSIC PUBLICATIONS
OR TO FIND OUT ABOUT THE FULL RANGE OF TITLES AVAILABLE
PLEASE CONTACT YOUR LOCAL MUSIC RETAILER OR FABER MUSIC SALES ENQUIRIES

FABER MUSIC LTD BURNT MILL ELIZABETH WAY HARLOW CM20 2HX ENGLAND
TEL: +44 0 1279 82 89 82  FAX: +44 0 1279 82 89 83
SALES@FABERMUSIC.COM
FABERMUSIC.COM